LES PETITS ENFANTS DU SIECLE

Rédacteur: Ellis Cruse

Révisée par Jan Verschoor, 1996

Illustrations: Peter Bay Alexandersen

Les structures et le vocabulaire de ce livre sont fondés sur une comparaison des ouvrages suivants :
Börje Schlyter : Centrala Ordförrådet i Franskan
Albert Raasch : Das VHS-Zertifikat für Französisch
Etudes Françaises – Echanges
Sten-Gunnar Hellström, Sven G. Johansson : On parle français
Ulla Brodow, Thérèse Durand : On y va

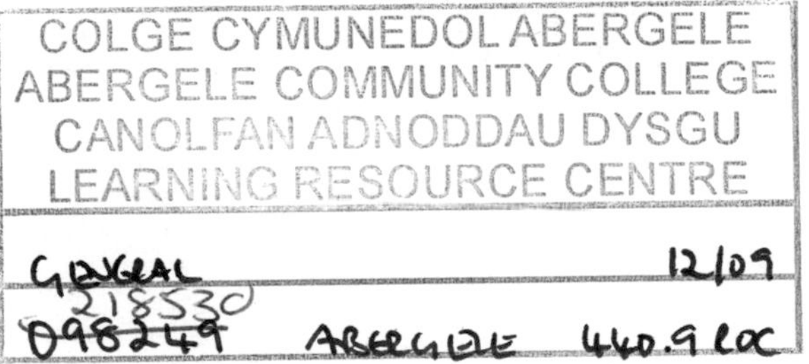

Dessin de la couverture : Mette Plesner

Illustration de couverture : Peter Bay Alexandersen

- a subsidiary of Lindhardt og Ringhof Forlag A/S,
an Egmont company.
ISBN Danemark 978-87-23-90160-6
www.easyreader.dk
The CEFR levels stated on the back of the book are approximate levels.

Imprimé au Danemark par
Sangill Grafisk Produktion, Holme Olstrup

CHRISTIANE ROCHEFORT

Christiane Rochefort est née à Paris en 1917, dans un quartier populaire (XIVe arrondissement). Elle peint, dessine, sculpte, fait de la musique, avant de se mettre à écrire. Pour gagner sa vie, elle travaille dans des bureaux, comme journaliste, ou au festival de Cannes d'où elle est renvoyée pour sa liberté de pensée.

Elle devient célèbre en publiant le roman 'Les repos du guerrier' (1958), qui provoque un scandale. 'Les petits enfants du siècle' (1961) est son plus grand best-seller et traite, entre autres, de l'urbanisme moderne et des problèmes sociaux qui en résultent. Toute l'oeuvre de Christiane Rochefort est marquée par son sentiment de révolte contre les injustices, son engagement pour l'émancipation des femmes et sa critique des moeurs contemporaines.

Quelques autres titres:
Les stances de Sophie, 1963
Printemps au parking, 1969
Les Enfants d'abord, 1976
Quand tu vas chez les femmes, 1982

1

A la mi-juillet, mes parents se sont présentés à l'hôpital. On a examiné ma mère, et on lui a dit que ce n'était pas encore le moment. On n'y pouvait rien. Ils sont rentrés en *métro*. Il y avait des bals, mais on ne pouvait pas danser. 5

Je suis née le 2 août, j'avais fait manquer les vacances à mes parents : je les avais retenus à Paris pendant que l'usine où travaillait mon père était fermée. Je ne faisais pas les choses comme il faut. 10

J'étais pourtant, dans l'ensemble, en avance pour mon âge : Patrick avait à peine pris ma place dans mon *berceau* que je me montrais capable de quitter la pièce dès qu'il se mettait à pleurer. Je peux bien dire qu'au fond c'est Patrick qui m'a appris à marcher. 15

Quand à la fin on nous a rendu les *jumeaux*, après les avoir longtemps *égarés* dans toutes sortes d'hôpitaux, je m'habillais déjà toute seule et je savais mettre sur la table les *couverts*, le sel et le pain.

Il faut *grandir*, et vite, disait ma mère, alors tu pourras m'aider un peu. Elle était souffrante depuis longtemps quand je l'ai connue. Elle ne pouvait pas aller à l'usine plus d'une semaine *de suite*, car elle travaillait debout. Après la naissance de Chantal elle s'est arrêtée 20

le métro, le chemin de fer électrique sous terre
un berceau, un petit lit de bébé
les jumeaux, les jumelles, deux personnes nées de la même mère en même temps
égarer, perdre
un couvert, voir illustration page 6
grandir, devenir plus grand
de suite, sans arrêt

complètement, surtout pour ce qu'elle allait avoir sur le dos à la maison avec cinq tout petits enfants à s'occuper.

A ce moment-là je pouvais déjà rendre *pas mal de* services, aller au pain, pousser les jumeaux dans leur *double landau*, pour leur donner de l'air. Et puis il fallait avoir l'oeil sur Patrick, qui était en avance lui aussi, malheureusement. Il n'avait pas trois ans quand il a mis un jeune chat dans la machine à laver. Cette fois-là papa lui a donné une *gifle* : on n'avait même pas fini de payer la machine.

pas mal de, assez de ; beaucoup de
un double landau, une voiture d'enfant pour des jumeaux
une gifle, voir illustration page 7

Papa lui donne une gifle

Chantal a *survécu* parce qu'on la soignait d'une façon extraordinaire. La mère s'en occupait entièrement, tandis que les autres étaient pour moi, y compris *par la suite* Catherine, même lorsqu'elle était encore un tout petit bébé. 5

Je commençais à aller à l'école. Le matin je faisais déjeuner les garçons, je les emmenais à la *maternelle*, et j'allais à mon école. A midi, on restait à la cantine. J'aimais la cantine, on s'assoit et les assiettes arrivent toutes remplies. C'est toujours bon ce qu'il y a dans des 10 assiettes qui arrivent toutes remplies. Les autres filles en général n'aimaient pas la cantine, elles trouvaient que

survivre, rester en vie
par la suite, dans la période qui a suivi
la maternelle, l'école qui reçoit les enfants entre deux et six ans

c'était mauvais. Je me demande ce qu'elles avaient à la maison. Quand je les *questionnais*, c'était pourtant la même chose que chez nous, de la même marque, et venant des mêmes *boutiques*.

5 Le soir, je ramenais les garçons et je les laissais dans la cour, à jouer avec les autres. Je montais prendre les sous et je redescendais aux *commissions*. Maman faisait le dîner, papa rentrait et ouvrait la *télé*, on mangeait, papa et les garçons regardaient la télé, maman et moi, 10 on faisait la vaisselle, et ils allaient se coucher. Moi, je restais dans la cuisine, à faire mes devoirs.

Maintenant notre appartement était bien. Avant, on habitait dans *le treizième*, une sale chambre avec l'eau sur le *palier*. Quand le quartier avait été *démoli*, on 15 nous avait mis ici.

Dans cette *Cité* les familles nombreuses avaient la *priorité*.

On avait reçu le nombre de pièces auquel nous avions droit selon le nombre d'enfants. Les parents 20 avaient une chambre, les garçons une autre ; moi, je couchais avec les bébés dans la troisième. On avait une salle de bains, la machine à laver était arrivée quand les jumeaux étaient nés, et une cuisine où on mangeait. C'est dans la cuisine, où était la table, que je faisais mes

questionner quelqu'un, poser des questions à quelqu'un
une boutique, un magasin
faire des commissions, faire des courses
la télé, la télévision
le treizième, le treizième (XIIIe) arrondissement : quartier ouvrier de Paris
le palier, un espace situé entre deux étages
démolir, le contraire de bâtir, de construire
la priorité, le droit de passer le(s) premier(s)

Cité

devoirs. C'était mon bon moment : quel bonheur quand ils étaient tous couchés et que je me retrouvais seule dans la nuit et le silence. Le jour, je n'entendais pas de bruit, je ne faisais pas attention ; mais le soir j'entendais le silence. Le silence commençait à dix heu- 5 res : les radios se taisaient, les voix, les bruits de vaisselles ; une à une les fenêtres s'éteignaient. A dix heures et demie c'était fini. Plus rien. J'étais seule. Ah! comme c'était calme et *paisible* autour, les gens endormis, les fenêtres noires. Je me suis mise à aimer mes devoirs peu à peu.

Tout le monde disait que j'aimais beaucoup mes frères et mes soeurs, que j'étais une vraie petite maman. Les bonnes femmes me voyaient passer, poussant Catherine, tirant Chantal, et elles disaient à ma mère que j'étais «une vraie petite maman».

Quand le bébé est mort à la naissance, je crois que je n'ai pas été vraiment triste. Cela nous a seulement paru drôle de voir maman rentrer à la maison sans rien cette fois-là. Elle ne s'y habituait pas elle-même, elle tournait sans savoir quoi faire. Puis elle s'est remise peu à peu au travail, et nous avons tous fini par oublier le pauvre bébé.

Le vendeur est venu reprendre la télé, parce qu'on n'avait pas pu la payer. Quand papa est rentré, il s'est mis à se disputer avec maman. S'il avait été là, lui disait-il, il était sûr de pouvoir regarder encore ses programmes de télévision. Maman, elle, disait qu'elle n'avait pas la plus petite *distraction* dans cette *vacherie d'existence*, qu'elle avait toujours à travailler du matin au soir pour que Monsieur trouve tout prêt quand il rentrait se mettre les pieds sous la table.

J'*ai horreur des* scènes. Le bruit que ça fait, le temps que ça prend. Je *bouillais* intérieurement, attendant qu'ils se fatiguent, qu'ils se couchent et que je reste seule dans ma cuisine, en paix.

paisible, en paix ; calme
la distraction, l'amusement(m.)
une vacherie d'existence, une vie pénible et dure ; une sale vie
avoir horreur de, détester ; le contraire d'aimer, d'admirer
bouillir, ici : être emporté par la colère

2

Un jour, une dame est venue à la maison, et elle a demandé si les enfants allaient au *catéchisme*. C'était un jeudi, après le déjeuner, j'habillais les petites pour les sortir. Maman *repassait*, la dame expliquait qu'il était utile d'envoyer les enfants au catéchisme. Maman a dit qu'elle avait besoin de moi. La dame a expliqué qu'il suffisait d'aller au catéchisme une heure par semaine, après la classe. Ma mère ne savait pas, mais elle allait demander au père. J'ai dit : «Moi, je voudrais y aller, au catéchisme».

Ma mère m'a regardée, étonnée. La dame m'a fait un tel sourire que j'ai presque regretté. Elle ressemblait à un fromage blanc.

On n'a rien trouvé contre. - Bah! comme ça ce sera fait», dit ma mère.

Le lundi quand je sortais de l'école, je prenais à gauche au lieu d'à droite, et je rentrais une heure et demie plus tard à la maison, quand tout était prêt. *Ça valait la peine*.

La maîtresse a ouvert le livre et elle a dit :

- Qu'est-ce que Dieu? Dieu est un pur esprit *infiniment* parfait.

Jamais de toute ma vie je n'avais entendu quelque chose d'aussi extraordinaire. Dieu est un pur esprit infiniment parfait. Qu'est-ce que ça pouvait être? Je restais la bouche ouverte. J'*avais perdu le fil de la suite*. Je me

le catéchisme, instruction religieuse élémentaire, donnée principalement à des enfants
repasser, passer un fer chaud sur les (sous-)-vêtements
ça valait la peine, ce n'était pas peine perdue
infiniment, extrêmement
perdre le fil de la suite, ne plus savoir ce qui va suivre

suis réveillée quand j'ai entendu la maîtresse demander, plus fort, d'un air vraiment *sévère* :

- Qu'est-ce que Dieu?

- Dieu est un pur esprit infiniment parfait, ont
5 répondu les autres tranquillement. Je n'avais pas pu répondre avec elles, je ne comprenais pas la phrase, pas un seul mot. Ça commençait mal.

La leçon *s'est achevée*. Je ne l'avais pratiquement pas entendue. Je me suis levée comme tout le monde, j'ai
10 marché jusqu'à la maison.

Je ne sais pas ce qui s'est passé ce soir-là à la maison, qui s'est disputé avec qui, ce qu'on a mangé, où est passée la vaisselle. Je retournais la phrase dans tous les sens, cherchant par quel bout la prendre ; et je n'y arri-
15 vais pas.

En général Mlle Garret donnait des explications compliquées, comme «s'il faut un ouvrier pour construire une maison, il a bien fallu un Dieu pour *créer* le ciel et la terre». Je ne voyais vraiment pas pourquoi, et
20 j'ai eu une histoire avec Mlle Garret, qui ne comprenait pas pourquoi je ne comprenais pas, et elle m'a dit que je *«raisonnais»*. C'était curieux comme discussion, ce n'était pas moi qui raisonnais, mais eux avec leur ouvrier. Elle m'a dit que je n'avais pas à chercher à
25 comprendre, mais simplement à «savoir» l'explication *par coeur*, c'était tout ce qu'on me demandait. Mais moi, je ne peux pas réciter ce que je ne comprends pas.

Mlle Garret nous a dit :

sévère, dur ; autoritaire
s'achever, se terminer ; prendre fin
créer, faire exister ce qui n'existait pas
raisonner, discuter
par coeur, de mémoire

- L'homme est *composé* d'un corps et d'une *âme*.

Mystère. A nouveau un *truc* mis en action. L'homme est composé d'un corps et d'une âme? Et moi?

- Josyane? Eh bien, Josyane, tu rêves?

- Est-ce que tout le monde a une âme? 5

- Bien sûr, a dit Mlle Garret, un peu étonnée.

J'avais donc une âme, comme tout le monde. Mlle Garret avait été formelle.

Les jours de catéchisme, une amie, Ethel Lefranc, qui n'y allait pas, ramenait Chantal de la maternelle en 10 même temps que son petit frère. Les garçons se débrouillaient maintenant, je n'avais qu'à les prendre dans le terrain entre les *blocs*. Il faisait nuit. Presque toutes les fenêtres des grands blocs neufs, de l'autre côté de la rue, étaient éclairées. Les blocs neufs étaient de 15 plus en plus habités. Un bloc fini, et hop, on le remplissait.

Je les avais vu construire. Maintenant ils étaient presque pleins. Longs, hauts, posés sur la plaine, ils faisaient penser à des bateaux. Le vent *soufflait* entre les 20 maisons. J'aimais traverser par là. C'était grand et beau et terrible. Quand je passais tout près, je croyais qu'ils allaient tomber sur moi. Tout le monde avait l'air *minuscule*. Des voix, des radios, sortaient des maisons, et je voyais et j'entendais tout. Il me semblait que 25 j'étais très loin et j'*avais* un peu *mal au coeur*, ou peut-être que c'était justement mal à l'âme.

composer, former
une âme, principe de pensée et de vie, souvent opposé au corps
un truc, une chose
un bloc, voir illustration page 9
souffler, déplacer l'air
minuscule, très petit
avoir mal au coeur, se sentir mal

J'ai retrouvé les enfants et je suis rentrée.

- Va vite chercher du lait, a dit ma mère, je n'ai pas eu le temps. Chantal a encore la fièvre, ah! Prends les sous sur le *buffet*. Sors les *ordures* en même temps, et tu prendras le pain, tu penseras à rentrer le landau quand tu reviendras, et regarde le courrier par la même occasion, dépêche-toi, ton père va arriver.

Si Mlle Garret avait dit vrai, ma mère avait une âme aussi. Je n'ai pas pu lui demander, elle est entrée à l'hôpital et j'ai laissé tomber le catéchisme pour un temps et ensuite ça m'était sorti de l'idée. Nicolas est né en février, avant sa date. Grâce à lui, avec l'argent qu'il allait nous rapporter, il était possible de réparer la machine à laver et de *ravoir* la télé. Cela m'arrangeait aussi parce que, quand elle était là, on avait plus la paix. Après ça, avec de la *veine*, il devait être possible de penser à une petite voiture.

Ce qui renversait tout, c'est si on devait acheter un nouveau lit pour Catherine si Nicolas allait dans le berceau. Un lit, c'est cher.

A la fin avec l'oncle Georges qui *bricolait*, pas comme papa qui ne savait rien faire de ses dix doigts, on a monté un petit lit *par-dessus* celui de Chantal, qui devait aller à un autre étage. Catherine, quittant le lit du bébé, devait s'installer au rez-de-chaussée.

Catherine a refusé de quitter son ancien lit, et avec succès. On était tous à bout de forces, après la dispute.

le buffet, un grand meuble de la salle à manger ou de la cuisine, où l'on range la vaisselle
les ordures(f.), ce qu'on jette au panier ou à la poubelle, dehors
ravoir, avoir de nouveau
la veine, la bonne chance
bricoler, s'occuper chez soi à de petits travaux
par-dessus, sur

Seuls les jumeaux n'avaient pas participé, ils ne se mêlaient pas de nos histoires. Ils dormaient tranquillement dans leur lit.

Nicolas est sorti de sa *couveuse* et il est arrivé à la maison avec le printemps.

Dans la chambre de mes parents il y avait une photo; c'était du temps où ils s'étaient mariés. Ils étaient sur un vélomoteur, elle avait des cheveux longs et une jupe large ; ils riaient. Maintenant elle regardait droit devant elle, sur rien, et qu'est-ce qu'elle avait fait à ses cheveux pour en avoir perdu la moitié? Je ne pouvais pas croire que c'était la même fille, sur le vélomoteur.

Depuis que ma mère n'allait plus à l'usine, elle faisait les escaliers de la Cité. Chantal la suivait comme un *toutou*. Catherine restait tout le temps de son côté, généralement non loin de Patrick, avec deux ou trois *mômes* du même âge, s'occupant à lancer des *cailloux*. Quand ils pouvaient trouver un chien ou un chat, ils étaient très heureux, mais c'était rare, en général les bêtes ne faisaient pas longue vie ici.

A ce moment-là il ne restait plus à la maison que Nicolas, je me chargeais de lui entre les heures de classe. Il était pâle et *roux*, et gardait les yeux clairs, contrairement aux autres qui les avaient marron.

La mère ne s'occupait presque pas de Nicolas ; j'étais grande maintenant, elle pouvait se reposer sur moi. Il n'était pas *embêtant*, il ne faisait pas beaucoup de bruit. Il regardait tout de ses yeux clairs grands ouverts, avec

une couveuse, un appareil où l'on tient les bébés nés trop tôt
un toutou, un chien
un(e) môme, un(e) enfant
un caillou, voir illustration page 16
roux, aux cheveux d'une couleur entre le jaune et le rouge
embêtant, ennuyeux ; qui embête ; qui ennuie

l'air de se demander dans quelle maison de fous il était tombé, et pourquoi. Je me disais qu'il avait peut-être une âme. Je lui parlais comme je l'avais toujours fait aux bébés quand je m'occupais d'eux. Mais lui, il semblait m'écouter, et ça m'*encourageait*. Je lui racontais tout ce qui m'arrivait, il aimait beaucoup que je m'occupe de lui, il se roulait dans mes mains et riait. Ça

encourager, donner du courage

me *soulageait* de lui parler.

Un jour, j'ai eu une amie, Fatima. On s'était rencontrées un soir qu'elle essayait de rentrer ses garçons et moi les miens. Elle a montré les jumeaux :

- *Tiens*, m'a-t-elle dit, ils sont à toi, ces deux-là? 5

Fatima m'a demandé combien j'en avais.

- Trois.

- Moi, et elle a compté, j'en ai quatre.

J'ai dit :

- Mais moi, j'ai encore deux filles. 10

- Moi trois, dit-elle, et deux qui sont mortes.

- Moi, j'en ai un seulement qui est mort, et j'ai aussi un bébé, qui s'appelle Nicolas.

- Nous, on en attend un pour juillet, a-t-elle dit.

On a fait notre compte, elle avait gagné. On a ri. 15 Mais on ne pouvait pas rester longtemps, on avait du travail qui nous attendait à la maison.

Je n'avais pas d'amies à l'école ; je n'aime pas les filles, elles sont *con*. Fatima, c'était spécial, on pouvait *causer*. On s'est revues. Mais on n'avait jamais bien le 20 temps, c'était toujours elle, allant aux courses, tandis que moi, j'en revenais, ou le contraire. Et c'est dommage, parce que je l'aimais bien. Ça me faisait toujours plaisir quand je la voyais arriver de loin, avec ses grands cheveux noirs, et son sourire. Fatima et moi, on 25 se comprenait. Mais elle est partie, ils allaient dans les grandes maisons de Nanterre, parce qu'ici ils n'avaient plus assez de place, ils étaient onze dans trois pièces. J'ai dit à Nicolas que Fatima était partie. J'étais triste.

soulager, aider ; calmer
tiens!, marque l'etonnement
con (fam.), imbécile ; idiot ; bête
causer, parler

Tous les soirs, quand j'allais me coucher, je le trouvais debout sur son lit. Je n'allume pas pour *me déshabiller*, pour ne pas éveiller les petits, mais lorsqu'il y a la *lune*, on voit tout clair dans la chambre. Nicolas ne s'endormait jamais avant que je lui parle et l'embrasse, et ça me faisait plaisir de le voir là, qui m'attendait, et de le sentir contre moi tout chaud et doux.

se déshabiller, le contraire de s'habiller
la lune, une planète satellite de la Terre, autour de laquelle elle tourne

Un jour en classe on nous a appris une *fable*, d'un roi qui avait un grand *secret* et ne devait le dire à personne. Un jour il n'en pouvait plus, il s'est couché dans les herbes et leur a tout raconté. Mais les herbes l'ont dit au vent, qui l'a dit à tout le monde. 5

J'ai trouvé cette fable très jolie et je l'ai racontée à Nicolas le soir. Lorsqu'il est là debont, blanc et roux, tout brillant dans la lune, ce que je raconte devient beau. Dès que je l'ai embrassé, Nicolas s'endort comme un *ange* et ne *bouge* plus. 10

A deux ans et demi, il ne parlait pas. Pas même papa maman.

- Peut-être il ne parlera jamais, peut-être il ne sait pas parler, a conclu tante Odette.

- C'est gai, a dit la mère, alors il ne nous cassera au moins pas les oreilles. 15

- Con maman! Con tante!

On s'est retournés et on s'est demandé d'où ça venait. C'était Nicolas qui disait ses premiers mots.

- En voilà des façons de parler, où *t'as* appris ça? a dit la mère et elle lui a donné une gifle. C'était sa première. Il n'a pas pleuré. Il *se marrait*. 20

- C'est Josyane qui lui a appris, dit Chantal. La nuit elle lui raconte des histoires. J'entends.

J'ai sauté sur Chantal, la mère a couru au secours de son enfant. *Bref* : on a eu un dimanche comme les autres. 25

une fable, une petite histoire de caractère moral écrite généralement en vers
un secret, ce qu'il ne faut dire à personne
un ange, ici : un enfant charmant
bouger, faire un mouvement
t'as (fam.), tu as
se marrer (pop.), s'amuser ; rire
bref, en peu de mots

3

C'était encore une fois le printemps.

Le seul moment où je pouvais me promener tranquille, c'était les courses.

L'autobus s'arrête juste devant la Cité, et les gens qui reviennent de leur travail en descendent tous en tas, à l'heure où je vais faire mes courses. Je les reconnais ; on se reconnaît tous, mais on ne le montre pas.

Un soir, un homme qui descendait de l'autobus m'a regardée et il a souri. Il a traversé la rue vers les grands blocs, et s'est retourné pour me regarder. Je me demandais pourquoi cet homme m'avait souri, car justement celui-là, je ne l'avais jamais vu. C'était *bizarre*, et j'y ai repensé, et puis il m'arrivait tellement peu de choses que le plus petit détail me restait. Par la suite, j'ai revu cet homme, et chaque fois il me regardait.

Un jour, après avoir fait les courses, je l'ai *croisé*. J'avais deux bouteilles de vin, une d'eau, et le lait, plus le pain sous le bras.

- C'est bien lourd pour toi, tout ça, m'a-t-il dit, comme si on se connaissait. Tu veux que je te le porte?

J'ai répondu :

- Oh! je suis arrivée. C'est là que j'habite.

- C'est dommage. Moi, j'habite là, a-t-il ajouté et il a montré les grands blocs. Pour l'instant, je te vois souvent en train de porter tes filets. Tu as beaucoup de travail?

- Oui. Voilà, je suis arrivée.

bizarre, étonnant ; curieux
croiser quelqu'un, rencontrer quelqu'un et passer auprès de lui dans l'autre sens

- *Tant pis*, et il m'a rendu le filet. A bientôt peut-être. Il a traversé la rue et m'a fait un signe de la main.

tant pis, marque la frustration, la non-satisfaction

Je l'ai rencontré plus souvent. Je regardais les autobus, mais il devait arriver plus tôt, peut-être qu'il m'attendait ; on faisait quelques pas ensemble ; il prenait mon filet.

5 Il s'appelait Guido. Il vivait seul. Il me parlait comme à une personne, il me racontait sa vie, il n'était pas dans son pays ici. Dans son pays il avait une maison avec une *vigne*, et comme moi beaucoup de frères et soeurs, des soeurs très belles qui se mariaient une par 10 une. On faisait quelques pas, et il me quittait, avec un petit signe de la main et son sourire.

une vigne

C'était un homme très beau, brun avec de belles dents blanches quand il souriait, et des yeux clairs. Il devait avoir bien trente ans.

15 Il se sentait très seul, il était triste ; les blocs le rendaient mélancolique. Il m'a regardée et m'a dit qu'il était en train de devenir fou. Mais il a souri, il n'avait pas l'air fou du tout, au contraire.

- Quel âge as-tu?
- Onze ans.

Je *mentais* un peu.
- Madona, a-t-il dit.

Il me racontait que le soir il pensait à sa maison avec la vigne, il écoutait de la musique, il préférait ça à rien du tout, car il faut avoir quelque chose qu'on aime dans la vie.

Je lui ai dit que pour moi Nicolas était ce que j'aimais dans la vie. Je me suis mise à lui parler de Nicolas, je lui ai dit que je croyais qu'il avait une âme. Il a paru étonné. Je lui ai expliqué ce que Mlle Garret avait *affirmé* à ce sujet, et que je n'arrivais pas à croire que tout le monde en a une.

- C'est vrai que c'est difficile à croire, a-t-il dit. Et moi, est-ce que j'ai une âme?

Il s'était arrêté de marcher pour que je le regarde ; il souriait, montrant ses belles dents blanches. Je lui ai dit que je croyais que oui.
- A quoi tu le vois?
- Je ne sais pas. D'abord, tu parles.

Il disait :
- Quand je construis des maisons, je suis malade ; je ne sais pas si je pourrai continuer longtemps.

Chez lui, il y avait toujours du soleil, mais il n'y avait pas de travail.
- Je ne suis pas fait pour accepter le travail que je fais ici, je suis un homme, moi, pas un robot.
- Tu dois avoir raison, m'a-t-il dit, je dois avoir une âme, c'est pour ça qu' il m'arrive ce qui m'arrive.

mentir, dire des choses qui ne sont pas vraies
affirmer, déclarer

- Qu'est-ce qui t'arrive?
- Quel âge as-tu?

Je le lui avais déjà dit, mais il avait dû l'oublier. Je le lui ai redit.

5 - Quel malheur, a-t-il dit.

Il s'est remis à marcher. Il m'a pris par la main. Sa main était grande et chaude, bien fermée sur *la mienne*. Personne ne m'avait jamais pris la main, et j'ai eu envie de pleurer.

10 Il m'a dit qu'il n'avait pas de femme, il ne pouvait plus les approcher. Elles étaient fausses comme les *réclames*.

- Ici on perd vite son âme, a-t-il dit. Ou bien, si on ne la perd pas, on devient fou. C'est ce qui est en train de m'arriver. Avec toi, a-t-il ajouté avec un sourire.

15 Je n'avais pas parlé de Guido à Nicolas au début : un jeune homme qui descendait de l'autobus m'a regardée ... c'était trop bête à dire. Alors je lui ai raconté que j'avais rencontré *un habitant de* la planète Mars. Il *était* presque *invisible*, les autres gens ne le voyaient pas, il 20 restait tout seul. Il s'ennuyait ici, il trouvait que c'était *moche*, mais il ne pouvait pas retourner chez lui, il était perdu. Il n'y avait qu'une chose qu'il aimait chez nous, c'était la musique. Le soir il l'écoutait quand il passait devant les maisons. Chez lui, tout le monde avait une 25 âme, tout le monde se comprenait. Ici personne ne parlait à personne et on ne regardait rien. Malgré tous les sourires qu'on leur adressait, malgré tous les *saluts* qu'on

la mienne, ici : ma main à moi
la (les) réclame(s), la publicité
un habitant de ..., quelqu'un qui habite ...
être invisible, ne (pas) pouvoir être vu
moche (fam.), mauvais ; le contraire de beau
le salut, l'action de saluer

leur faisait, ils ne répondaient pas ; j'étais la seule. Chez lui il faisait toujours du soleil, et c'était couvert de vignes et les arbres ne perdaient pas leurs feuilles, au printemps il en poussait de nouvelles, blanches, qui devenaient vertes l'année suivante. 5

J'ai donné beaucoup de détails sur la planète Mars. Mais rien que pour parler d'une façon ou de l'autre de Guido! J'avais inventé qu'il s'appelait Tao, car il me disait «au revoir» ainsi.

4

L'école était finie. C'était l'été. Je rencontrais Guido tous les jours, après son travail. On allait se promener un peu plus loin, entre les jardins. Quand je lui ai dit qu'on allait partir en vacances, il est devenu sombre. Il me regardait, commençait une phrase et ne la finissait pas, puis repartait et on marchait sans parler, sa main serrait la mienne très fort. J'*avais le coeur lourd*, et moi non plus je n'arrivais pas à parler. *Finalement*, il m'a demandé si je pouvais faire les courses plus tôt, le lendemain, jeudi. Naturellement je pouvais. On a eu un vrai rendez-vous, à une vraie heure, dans un endroit précis, un peu loin de nos maisons, au *panneau* Montreuil.

un panneau

Il avait un scooter ; un *copain* le lui avait prêté. Il m'a demandé si je voulais bien faire un tour avec lui. Si je voulais! Monter en scooter!

avoir le coeur lourd, être triste ; avoir du chagrin
finalement, à la fin
un copain, un camarade

J'étais *ravie*. Lui avait toujours l'air aussi sombre, il allait vite, je devais *m'accrocher* fort à lui, c'était *merveilleux*. On est entrés dans le Bois. Il a pris une *allée*, et il s'est arrêté.

- On va se promener un peu, a-t-il dit. Tu veux bien? 5

J'ai sauté du scooter. Il l'a mis contre un arbre.

- On ne va pas te le voler?

- On n'ira pas loin. Juste quelques pas. Pour te dire quelque chose.

ravi, très content ; très heureux
s'accrocher, se tenir avec force
merveilleux, magnifique
une allée, un chemin bordé d'arbres

On a fait quelques pas, dans un *sentier*. Il avait pris ma main.

- Alors, tu pars demain?

J'ai répondu tristement : - Oui. Je n'en avais pas envie.

- Tu sais ..., a-t-il dit.

Au bout d'un moment, comme rien ne venait, j'ai demandé :

- Quoi?

- Ah! a-t-il dit. Il s'est tourné vers moi, et il m'a regardée d'un air un peu fou.

Il a pris mes deux mains, il est tombé brusquement à genoux et m'a attirée contre lui, et il s'est mis à parler en italien. Ce qu'il disait, je ne le sais pas, je ne sais pas l'italien. Mais je l'ai entendu, je n'ai jamais rien entendu de si beau, j'ai tout compris.

Quand il m'a embrassé le visage, il était brûlant, ses mains étaient brûlantes sur moi. De temps en temps il levait les yeux vers moi et me posait une question, si je voulais bien, si je voulais bien. Il m'a dit seulement en français :

- Je ne veux pas te faire de mal. Je te *jure*, je te jure, c'est que je t'aime.

Il a répété en italien qu'il ne voulait pas me faire de mal. Je le laissais faire, je n'avais pas envie de l'empêcher, pas du tout, et de moins en moins à mesure que ses lèvres m'approchaient. Leur chaleur était infiniment bonne. C'était doux, cela ne finissait pas, j'entendais les oiseaux, je ne savais pas qu'il existait des choses aussi bonnes.

un sentier, un chemin étroit pour les gens qui marchent et pour les bêtes
jurer, affirmer fortement

- Tu ne *m'en veux* pas? a-t-il demandé quand pourtant on est revenus au scooter, et puis la nuit tombait déjà, j'étais trop en retard.
- Oh non! *me suis-je écriée.*
- Madona, je suis fou, disait Guido. 5

On est rentrés à toute vitesse, et vraiment là il était fou, il chantait *à tue-tête* un air de chez lui. Il m'a laissée un peu avant la Cité. Il m'a dit une phrase, avec «morire», il a souri tristement, puis il a dit «Tchao» et il s'est retourné sur le scooter, avant de tourner dans 10 son allée.

- Alors, qu'est-ce que tu as *foutu*? Le spaghetti, quand est-ce qu'il va *cuire*?

Je le ramenais. On l'avait acheté avec Guido.

- Je me suis promenée. 15
- Ce n'est pas le moment de te promener quand je t'attends.

Dans ces cas-là, je me tais. Mais aujourd'hui je recevais mal les coups.

- Et quand est-ce que c'est le moment? J'ai sans arrêt 20 des trucs à faire! Je n'arrête pas du matin au soir, et tous les autres *se les roulent*. Il n'y a qu'à donner des commissions à Patrick, lui, il a le droit de *traîner* tant qu'il veut.

Patrick, devant la télé comme d'habitude, m'a jeté :

- Moi, ce n'est pas pareil, moi, je suis un homme. 25

J'ai *éclaté de rire*.

en vouloir à quelqu'un, être en colère contre quelqu'un
s'écrier, dire d'une voix forte et avec émotion
à tue-tête, de toute la force de sa voix
foutre (pop.), 1) faire 2) mettre
cuire, être propre à être mangé par la chaleur, par le feu
se les rouler (fam.), ne rien faire ; rester inactif
traîner, aller sans but ; vagabonder
éclater de rire, se mettre à rire brusquement et avec beaucoup de bruit

- Un homme! Tu ne sais même pas ce que c'est.

- Allez-vous vous taire? a dit la mère. Votre père regarde la télé. Josyane, prépare-nous le fromage.

Eh bien, ils avaient gagné. Mon rêve avait disparu.

Le soir, Nicolas attendait :

- Jo? Qu'est-ce que tu as fait aujourd'hui? Ne dis pas que tu as rencontré Tao. Ça se voit.

Mon Dieu, après tout oui, peut-être, ça se voyait. Heureusement que les autres ne voyaient jamais rien, avec eux on était tranquille.

- Qu'est-ce que vous avez fait?
- On est allés dans la forêt.
- Qu'est-ce que vous avez fait dans la forêt?
- Euh, on a *cueilli* des fleurs.

ils cueillent des fleurs

- Où elles sont?

Ce n'était pas toujours facile avec Nicolas. Je l'avais habitué à lui dire tout.

- Elles sont parties. C'est des fleurs qui *s'envolent* quand on les cueille. 5

- Alors, pourquoi on les cueille?

- Parce que c'est joli quand elles s'envolent. Et après on les regrette.

- J'en veux aussi, dit Nicolas. C'était à *prévoir*.

Je lui en ai promis. Grâce à lui, la forêt était revenue, 10 et avec elle mon rêve. J'ai pensé que j'allais sûrement être malheureuse, mais j'aimais mieux manquer de quelque chose que de ne pas savoir que ça existe.

s'envoler, être emporté en l'air
prévoir, deviner à l'avance

5

Alors les vacances sont arrivées. L'usine fermait en août. Cette fois on ne voulait pas aller chez la grand-mère à Troyes, on se proposait d'aller dans un hôtel à la campagne, comme les vrais gens qui vont en vacances, on ne voulait rien faire que respirer le bon air. On en parlait depuis Pâques : le chemin à suivre, l'hôtel, le programme. Car ils avaient enfin la voiture. Et le chef de famille en était très fier.

Enfin on est partis, tous *entassés*. Cette année, pour que tout le monde profite de la voiture et pour faire comprendre que le père en avait une, personne n'avait été mis à la *Colonie*. Et ça, c'était bien dommage, les seules bonnes vacances qu'on prend, c'est celles des autres.

Papa conduisait *comme un cochon*. Tous les autres *chauffards* de la route le lui faisaient bien remarquer chaque fois qu'il essayait de *doubler* une voiture.

Chaque fois que cela arrivait à son père, Patrick se sentait gêné. Et depuis le début il était très en colère parce qu'on ne l'avait jamais laissé toucher à la *précieuse* mécanique.

Tous les vingt-cinq kilomètres, Patrick demandait qu'on le laisse conduire, rien qu'un peu. Et le père répondait toujours que non.

- Je suis sûr que je saurai faire au moins aussi bien que

entasser, mettre en tas ; accumuler
la Colonie, la colonie de vacances
comme un cochon (pop.), très mal
un chauffard, un mauvais chauffeur ; une personne qui conduit mal
doubler, dépasser
précieux, qui a du prix, de la valeur

toi, a dit Patrick irrité, et en effet c'est bien lui qui avait raison.

- Je sais ce que j'ai à faire, a déclaré le père avec son autorité nouvelle d'automobiliste.

- *Pipi*, a dit Catherine. 5

- Ah! Non! a dit le père.

- J'ai envie, a dit Catherine, et elle s'est mise à pleurer.

- Tu attendras, il faudra d'abord prendre de l'essence.

- Tu sais bien qu'elle ne peut pas attendre, a dit la mère. Elle va *faire dans sa culotte*. 10

- Ah! là! là! a dit le père, pour gagner encore un peu de temps.

Ou alors c'était Chantal qui *avait mal au coeur*. Elle ne *supportait* pas la voiture, et finalement il a fallu la mettre devant avec la mère, près de la *vitre*, en cas. 15 Patrick était au milieu, entre le père et la mère. Moi derrière, j'avais Nicolas sur moi, et la moitié de Catherine. Les jumeaux étaient tassés dans l'autre coin, ils regardaient le pays. Aux arrêts, Nicolas cueillait des fleurs et les lâchait en l'air, pour voir si elles allaient 20 s'envoler. On remontait dans la voiture, où le père resté *s'énervait* et regardait sa montre.

Patrick continuait de se moquer de son père, qui était un autre homme, un homme plein de dynamisme et d'autorité, quand il s'agissait de la voiture. 25

- Descends, a-t-il dit, après avoir ouvert la porte de droite.

faire pipi, uriner
faire dans sa culotte, faire pipi sur place
avoir mal au coeur, se sentir mal
supporter, ici : souffrir
la vitre, la glace d'une voiture
s'énerver, devenir de plus en plus nerveux

- Maurice ..., a dit la mère faiblement.
- Ça lui servira de leçon, a dit le chef de famille. Ça lui servira de leçon, tiens.
Sur le bord de la route, Patrick était très joyeux. Le
5 père a *démarré*, avec difficulté, parce qu'il s'était mis dans un tas de *sable*.

Aussitôt a commencé une scène avec la mère, qui trouvait qu'il avait été trop dur, et qui voulait qu'on retourne. Lui ne voulait pas.
10 - J'*en ai marre* à la fin, de ce *morveux*. Toujours à critiquer ce que font les autres.
Après quelque temps, le père s'est laissé convaincre.

démarrer (une voiture, etc), mettre en marche, en mouvement
le sable, les très petits fragments de matière qui couvrent le sol des déserts (du Sahara, etc.) des plages, etc.
en avoir marre (pop.), en avoir assez
un morveux, un jeune garçon qui se donne des airs importants

- Il doit avoir compris maintenant, a-t-il dit, et il a fait un demi-tour que Patrick n'a pas vu, heureusement.

Patrick n'était plus où on l'avait laissé. Rien. On a pris peur. On a appelé :

- Patrick! Patrick! 5

- Je te l'ai dit, disait la mère, que tu étais trop dur. Je le savais. Le père ne répondait pas.

Moi, les jumeaux et Nicolas, on avait trouvé un *buisson de mûres* et on était dedans.

- Vous ne pouvez pas nous aider à chercher plutôt, non? a dit le père.

J'ai remarqué qu'il s'était peut-être jeté dans la rivière, qui était tout près, mais dans le fond je n'y croyais pas. J'ai dit qu'après tout on s'était peut-être trompés d'endroit. On a réussi à faire remonter les vieux comme ça un bon bout de chemin, et à la fin ils ne savaient plus rien du tout. Le père a décidé de prévenir les gendarmes dans l'intérêt des familles, si on peut dire dans le cas de Patrick. La mère a dit qu'elle allait rester dans le village jusqu'à ce qu' on retrouve «le petit», comme ils l'appelaient maintenant. Tous les paysans du *coin* s'intéressaient à nous, tout le monde s'intéressait à Patrick, «le Petit Disparu». Le père répétait :

- J'ai été trop sévère, il est tellement *sensible*.

On l'a rencontré plus loin sur un pont, il était assis et mangeait des pommes.

- *Eh ben*, vous n'allez pas vite, nous a-t-il dit avec *mépris*, quand on s'est arrêtés près de lui. Il fait bien une heure que je vous attends.

- Où que t'as passé? a dit le père très étonné.

- Je vous ai doublés dans une Cadillac, a dit Patrick. Ce n'était pas difficile, et pourtant tu roulais exactement sur le milieu de la route. J'allais repartir, je commençais à en avoir marre.

- Non, mais tu *te fous de* nous? Je vais te relaisser là, moi!

le coin, ici : le lieu ; les environs(m.)
sensible, capable de sentiment, d'émotion
eh b(i)en, ici: alors
le mépris, le contraire de respect
se foutre de (pop.), se moquer de

- Maurice ..., a protesté la mère. Puis elle a dit à Patrick :

- Allez, monte, et elle est descendue avec sa Chantal *en toute hâte* pour le lui permettre. Dépêche-toi, ton père a déjà perdu assez de temps avec toi. 5

Patrick est monté d'un air grave, il regardait tout avec mépris.

- J'étais monté dans une Cadillac, a-t-il répété au bout d'un moment, bien que personne ne lui *ait* rien demandé. 10

- Pourquoi tu n'as pas pu nous attendre, on se demandait où tu étais passé, a dit la mère.

- Josyane a dit que tu t'étais jeté dans la rivière, a dit Chantal à tout hasard. Moi, j'ai ajouté :

- Je l'espérais bien, mais je n'y croyais pas vraiment. 15

Mais Patrick ne nous écoutait pas. Il expliquait tout ce qu'il y avait dans la Cadillac, qui n'était pas dans celle-ci.

- Pourquoi tu n'y es pas resté? ai-je dit, car j'en avais marre. - Pourquoi tu n'y es pas resté, dans ta Cadillac? 20 se sont mis à chanter les jumeaux.

Mais Patrick n'a eu aucune réaction. Il a dit :

- Dans la Cadillac les *phares* s'allument automatiquement quand *le jour baisse*.

- *La ferme*, a dit le père, avec ta Cadillac. 25

- Allez-vous vous taire! dit la mère. Ah! Ces *gosses*! On n'est jamais tranquilles avec ça, même en vacances! Ils ne nous laissent même pas profiter du moment!

en toute hâte, très vite
ait (subjonctif), a
un phare, voir illustration page 38
le jour baisse, la nuit tombe
la ferme (pop.), ferme la bouche ; tais-toi
un(e) gosse, un(e) enfant

Il s'est mis à pleuvoir et *un pneu a crevé*. Le père a pris le *cric*.

Patrick tenait la lampe. Les jumeaux se sont moqués de lui :

5 - Dans la Cadillac, quand un pneu crève, un autre pneu vient se mettre à sa place, tout seul.

Pourtant Patrick est resté avec nous. On est arrivés, on a réveillé l'hôtel. Le patron avait donné une des chambres à un autre client, il ne nous attendait plus.
10 En saison on ne peut pas garder des chambres vides. On s'est donc installés dans deux chambres, on espérait le départ de quelqu'un.

Le lendemain, les vacances ont commencé. Je

m'attendais à aimer la Nature. Non.

C'étaient les mêmes gens, *en somme*, que je voyais d'habitude, qui étaient là. La différence est qu'on était un peu plus entassés ici dans ce petit hôtel qu' à Paris où on avait au moins chacun son lit ; et qu'on se parlait. 5

On mangeait ensemble à une grande table, midi et soir, et dans la journée on allait pratiquement aux mêmes endroits. Avec ça on n'avait rien à faire du matin au soir, puisque justement on était là pour ça. Et 10 même il n'y avait pas de télé pour remplir les moments *creux* avant les repas. Alors ils se payaient des *tournées* et causaient. Entre le dîner et l'heure d'aller au lit on allait faire un tour dehors sur la route, prendre l'air avant de rentrer. C'était *sain*, disaient-ils, ça fait bien 15 dormir.

Moi, je dormais plutôt mal dans le même lit que mes soeurs Catherine et Chantal. Je ne pouvais même pas bavarder avec Nicolas, qui était dans l'autre pièce avec ses frères. 20

Le pays était beau, disaient-ils. Il y avait des bois, et des champs. Tout était vert. Les anciens, qui étaient arrivés avant nous, nous indiquaient où il fallait aller, comment visiter la région. On faisait des promenades ; 25 on allait par le bois et on revenait par les champs. On rencontrait les autres qui étaient allés par les champs et revenaient par le bois. Quand il pleuvait, papa faisait la

en somme, en conclusion ; tout bien considéré ; après tout
un moment creux, un moment de peu d'activité
une tournée, ensemble de consommations offertes à un groupe par quelqu'un dans un café
sain, bon pour la santé

belote, les gosses jouaient à des jeux cons. Les femmes, à l'autre bout de la table, parlaient de leur *ventre*.

- En tout cas on se repose. Et puis il y a de l'air pour les enfants, disaient-ils.

5 Je ne me souvenais pas d'avoir manqué d'air à la Cité. En tout cas il n'était pas nécessaire d'aller en chercher ailleurs.

Quel malheur qu'on ne m'ait pas donné de devoirs de vacances. J'essayais de m'en inventer, mais ça ne 10 marchait pas. Les devoirs, ça doit être obligé, sinon ce n'est plus des devoirs.

Nicolas et moi, on ne trouvait même rien à se dire, je ne sais pas pourquoi, parce qu'enfin à Paris, il n'arrivait pas tellement de choses non plus, si on veut bien 15 regarder. C'était peut-être l'air : ils disaient aussi le Grand Air, ça fatigue.

- Pourquoi on ne rentre pas à la maison? a dit Nicolas.

- Parce qu'on est en vacances.

20 Enfin on a parlé de rentrer. Dommage *que ce soit* déjà fini, on commençait à s'y mettre, hélas! Les meilleures choses n'ont qu'un temps. D'ailleurs, dans le fond on aime bien retrouver son petit *chez-soi*. On est content de partir, mais on est content aussi de revenir.

25 On a *embarqué* ; ils se sont *fait* de grands *adieux*, ils se regrettaient. Ils ont échangé les adresses pour se revoir

la belote, un jeu qui se joue avec trente-deux cartes
le ventre, ici : le lieu où se fait la conception et le développement de l'embryon chez la femme
que ce soit (subjonctif), que c'est
le chez-soi, la maison ; le domicile ; le home
embarquer, ici : monter en voiture
faire ses (des) adieux à quelqu'un, saluer quelqu'un avant de le quitter

à Paris, pour ne pas se laisser tomber. La joie de la séparation. Tout le monde était là pour nous voir partir.

On a roulé. On gardait le silence. On rentrait. Finies les vacances. A mesure que Paris approchait, mon coeur dansait.

Guido n'était plus là.

6

J'en ai attendu, j'en ai regardé descendre des types, de ces *foutus* bus. Longtemps après que je n'y croyais plus, j'y croyais encore -ou alors qu'est-ce que je faisais là, qu'est-ce que j'attendais si je n'attendais rien?

Justement ils avaient mis un banc ; c'était sans doute pour moi, pour que je me repose un peu, le *découragement* ça fatigue. Il y avait des soirs, je ne pouvais plus porter les bouteilles. Je ne pouvais plus les porter.

Je m'asseyais sur le banc. Je n'y croyais plus. Je regrettais. Je regrettais, je regrettais, je regrettais.

C'était encore presque l'été ici ; ici, c'était beau la nature ; il y avait des étoiles. Quand je renversais la tête, je les voyais. Là-bas je n'y avais seulement pas pensé.

J'allais dans la petite rue, où j'étais allée avec Guido. Mais ça ne m'*avançait à* rien. Il y avait un trou à côté de moi : Guido me manquait.

J'allais traîner dans les grands blocs, en face, où Guido habitait. On avait mis partout des *pelouses* régulières, avec des *grillages* tout autour pour que les mômes n'y courent pas. Les jeunes arbres avaient aussi leurs grillages. Ce que je me demande, c'est pourquoi on ne fout pas plutôt les mômes dans les grillages et les arbres en liberté autour.

La maison du vieux était partie, avec sa vigne. C'était fini. Guido était parti parce que les maisons étaient finies, c'est tout. Je pleurais. Je ne sais même pas

foutu, mauvais ; le contraire d'agréable
le découragement, le fait de perdre courage
avancer à quelque chose, faire gagner quelque chose

si c'était Guido que je pleurais. Je marchais au milieu des blocs et je pleurais.

- Tao est parti, Nicolas. Il est retourné sur Mars. Il en a eu assez.

Le soir je pleurais dans mon lit. Ces temps-ci, je pleurais tout le temps, je ne sais pas ce que j'avais, c'était peut-être l'âge. 5

- Ne pleure pas, Jo. Je ne veux pas que tu pleures. Je casserai toute la *baraque*.

une baraque, une maison en mauvais état ou peu confortable

Nicolas m'entendait pleurer, il se levait et venait me *consoler*.

- Je tuerai Patrick. Je tuerai tout le monde. Tao reviendra. Je jetterai une bombe atomique et je démo-
5 lirai toutes les baraques. Ne pleure pas. On ira sur Mars. Quand je serai grand, tu seras ma petite soeur.

- Heureusement que t'es là. Toi, tu comprends tout, tu as une âme.

- J'ai une âme rouge. Le soir, je la sens, ici. Elle me
10 brûle.

Nicolas est parti au *prévent*. Son organisme avait été en contact avec le bacille de la tuberculose. Pourquoi lui? Ce n'était pas juste.

- D'un côté, dit la mère, ça fera une place pour le
15 bébé, je me demandais bien comment s'arranger pour les lits.

Elle arrivait dans son huitième mois. On n'avait pas *de quoi* acheter un nouveau lit.

- Et si Nicolas ne mourait pas, par hasard, on ne sait
20 jamais, comment feras-tu quand il reviendra? ai-je crié, furieuse.

- A ce moment-là, on verra. On a le temps d'y penser.

- T'as raison, peut-être qu'après tout le bébé sera
25 mort-né, comme l'autre d'avant. Il ne faut jamais *s'inquiéter* d'avance.

consoler, calmer
un prévent, un préventorium ; une maison où l'on soigne les personnes qu'on croit être tuberculeuses
de quoi + infinitif, assez d'argent pour ...
s'inquiéter, se faire des soucis

Je parlais d'une voix douce, mais j'étais de plus en plus méchante. Nicolas me manquait, et j'avais peur *qu'il meure* ; c'est toujours ceux-là! Et puis, ça m'*énervait* d'attendre un autre bébé dans la famille et je me demandais de quelle manière il allait m'embêter. 5

Les vieux étaient contents. Quand on est sept, on peut aussi être huit. Ils allaient pouvoir continuer de payer la voiture par *mensualités*.

Nous, on a eu une fille. Ils l'ont appelée Martine. La gosse avait l'air normale. Il fallait attendre. Je me suis 10 dit qu'avec un peu de chance, il était possible que dans dix ans elle me remplace pour faire tout le travail.

Dès que ma mére est rentrée, Chantal est tombée malade. Elle a dit qu'elle avait mal à la gorge depuis huit jours et que je ne l'avais pas soignée. En effet, cha- 15 que fois que je lui demandais de faire quelque chose pour moi, elle avait mal à la gorge. Je donnais à manger aux enfants rien que des trucs qu'ils n'aimaient pas, on *se distrait* comme on peut. C'est pourquoi ils étaient toujours très contents quand la mère rentrait à la mai- 20 son, le nouveau bébé sur les bras.

En tout cas elle avait eu raison de ne pas s'énerver, tout s'arrange toujours. Le problème des lits s'est réglé tout seul : quand Nicolas est revenu du prévent, Catherine était aux *Arriérés*. Il avait fallu l'y mettre, 25 l'école ne voulait pas la garder, elle faisait tout un tas

qu'il meure (subjonctif), qu'il meurt
énerver, irriter; rendre nerveux
une mensualité, une somme payée chaque mois
se distraire, s'amuser
les Arriérés, une institution spéciale pour les enfants arriérés, c'est-à-dire pour les enfants qui sont en retard dans leur développement mental

de *conneries* qui empêchaient les classes de fonctionner bien. Ils s'étaient aperçus en plus qu'elle était à moitié sourde, non seulement elle ne comprenait rien, mais elle n'entendait même pas. On lui a fait des tests, le docteur l'a regardée une demi-heure et il a dit qu'elle avait un âge mental de quatre ans. Il n'y avait qu'à la mettre simplement dans un bon *asile*.

Il paraît que ce docteur-là, dans sa matinée, en avait envoyé quatre comme ça à la *poubelle*.

Ils l'ont emmenée tous les deux, les parents, là-bas. Ils lui avaient caché où elle allait. Le mot «arriéré» n'avait pas été prononcé, et le voyage était présenté comme une partie de plaisir. Mais Patrick s'est fait une joie de lui découvrir le complot des parents au moment du départ. La pauvre Catherine *hurlait* quand on l'a *traînée* jusqu'à la voiture. Catherine hurlait toujours qu'elle ne voulait pas aller aux Arriérés, elle n'avait presque plus de voix, plus de forces. On l'a mise de force dans la voiture, elle a essayé de sortir par la fenêtre, mais on a remonté la vitre. Elle a encore trouvé la force de pousser un cri avant que ce soit fermé. Elle a appelé son frère. La voiture a démarré et a disparu. A un mètre de moi j'ai vu Patrick, la tête haute. Il avait les mains dans les poches et *sifflait*. Je me suis retournée sur lui si vite qu'il n'a rien vu venir, et d'un seul mouvement je lui ai donné un grand coup dans la *gueule*. Puis je l'ai envoyé

une connerie, quelque chose d'imbécile, d'absurde
un asile, ici : un hôpital psychiatrique
une poubelle, une boîte à ordures qu'on pose dehors
hurler, crier
traîner, ici : tirer par terre
siffler, ici : faire entendre un son élevé et modulé avec la bouche
la gueule (pop.), le visage ; la figure

rouler d'un coup de pied. Je lui avais cassé une dent. Il a gardé un trou, et ça me faisait toujours plaisir à voir. Après tout c'est le seul souvenir qui nous est resté de Catherine.

Nicolas est allé dans le lit de Catherine. La vie continue. 5

7

Le printemps est arrivé. L'été. Puis l'hiver.

J'avais eu mon *Certificat* du premier coup. On m'a
5 demandé ce que je voulais faire dans la vie.

Dans la vie. Est-ce que je savais ce que je voulais faire, dans la vie?

- Alors? a dit la femme.
- Je ne sais pas.
10 - *Voyons* : si tu *avais le choix*!

La femme était gentille, elle *interrogeait* doucement. Si j'avais le choix. Vraiment, je ne savais pas.

- Je ne sais pas.
- Tu ne t'es jamais posé la question?
15 - Non.

Je ne me l'étais pas posée. De toute façon, ça ne valait pas la peine.

On m'a fait sortir d'un labyrinthe avec un crayon, trouver des animaux dans des taches, je n'arrivais pas à
20 en voir. On m'a fait faire un dessin. J'ai dessiné un arbre.

- Tu aimes la campagne?

J'ai dit que je ne savais pas, je croyais plutôt que non.

- Tu préfères la ville?

25 A vrai dire je crois que je ne préférais pas la ville non plus. La femme commençait à s'énerver. Elle me proposait tout un tas de métiers aussi *assommants* les uns que

le Certificat, ici : le diplôme qu'on obtient à la fin de l'école du premier degré
voyons, sert a rappeler quelqu'un a l'ordre
avoir le choix, pouvoir choisir
interroger, poser des questions
assommant, qui ennuie ; qui embête ; embêtant

les autres. Je ne pouvais pas choisir. Je ne voyais pas pourquoi il fallait se casser la tête pour choisir d'avance un travail embêtant. De toute façon dans tous les métiers il fallait aller quelque part le matin et y rester jusqu'au soir. 5

- Alors, a-t-elle dit, il n'y a rien qui t'attire particulièrement.

Non, rien ne m'attirait.

- De toute façon, a dit la mère, il n'est pas important de savoir ce qu'elle veut faire, car j'ai plus besoin d'elle 10 à la maison que dehors. Surtout si on est deux de plus ...

On croyait que c'était des jumeaux cette fois.

Tout de suite ce qui m'a manqué, c'est l'école. Pas tellement la classe en elle-même, mais le chemin pour y 15 aller, et surtout, les devoirs du soir.

Je me sentais *inoccupée*. Je n'arrêtais pas de travailler, mais je me sentais tout le temps inoccupée. Je cherchais ce que j'avais bien pu oublier, où, quand, quoi? ... Je ne sais pas. Au lieu de me dépêcher pour *être débarrassée*, 20 je traînais : débarrassée, pour quoi? Le soir, j'étais fatiguée, mes yeux se fermaient, il me semblait ou qu'il n'y avait pas assez de lumière, ou qu'il y en avait trop. Je ne sais pas. Avant, le soir, je commençais à me réveiller, maintenant je tombais. Et une fois au lit, alors impossi- 25 ble de m'endormir. Je pleurais un peu. C'était devenu une habitude. Je ne savais même pas à quoi penser.

L'hiver a passé. Le printemps est revenu. Le printemps, le printemps. ...

inoccupé, inactif ; sans travail
être débarrassé, finir ses activités

8

Les Italiens étaient à *Sarcelles*. Ils construisaient de nouvelles maisons. C'est Liliane Bourguin qui me l'a dit. Sa soeur venait de se marier, ils avaient trouvé un appartement là-bas, il y en avait. Liliane y était allée. Elle avait entendu parler des ouvriers. Ils habitaient là pour la durée des travaux, dans des *baraquements*.

Ça m'a pris d'un coup. Un retour de mémoire. Et par de drôles de chemins ; c'est ce qui s'était le plus effacé qui me revenait. Je ne me souvenais plus de ça : le bois, et ce que Guido m'avait fait dans le bois. Je ne comprenais pas comment j'avais bien pu oublier une chose pareille. Il fallait que je sois tombée sur la tête. Je me demandais pourquoi j'étais allée chercher des histoires de *Martiens* et toutes ces *salades*, quand tout simplement Guido était un homme et ça suffisait bien, un homme, beau, avec de belles dents, et pas un «sourire invisible» et dieu sait quoi, et ce que je voulais c'est qu'il recommence, ce que je voulais c'était la pure et simple réalité. Ce qu'on peut être bête quand on est gosse. J'ai commencé à souffrir, et cette fois je savais *au juste* ce que je regrettais.

Toute l'affaire c'était donc comment aller là-bas, et ce n'était pas du tout *commode*. C'était dans une autre banlieue, il fallait prendre l'autobus jusqu' à la Porte des Lilas, ou le métro jusqu'à la gare du Nord et là un train jusqu'à je ne sais où. D'après Liliane c'était dans un

Sarcelles, une cité moderne près de Paris
un baraquement, une construction en bois, de caractère non-définitif
un Martien, un habitant imaginaire de la planète Mars
des salades (f.) (pop.), des histoires imaginaires
au juste, exactement
commode, facile

endroit perdu, bref, il y fallait un plein après-midi aller retour. Mais où trouver le temps? Je n'avais pas le temps. Je ne voyais pas comment le trouver. Ce n'est pas qu'on m'en demandait compte. Mais la maison reposait pratiquement sur moi et si je la lâchais seulement une heure, elle allait sûrement *s'écrouler* dans le scandale.

Je ne pensais plus qu'à ça, et je voyais Guido comme si c'était de la veille, avec ses dents blanches, et mon filet à la main plein de bouteilles, et le scooter ce jour-là posé contre un arbre, et ce qui suivait dans tous ses détails. La conclusion était qu'il fallait y aller.

L'idéal, c'était d'avoir un scooter. Avec un scooter j'y allais directement, je ne perdais pas de temps. D'abord, j'ai pensé à en *piquer* un au parking ; il n'y avait qu'à surveiller les heures où ils les laissaient et les reprenaient. Mais avant, il fallait apprendre à m'en servir.

Je regardais les garçons faire du bruit, *filer*, revenir, faire des cercles. Les uns avaient un vrai scooter, les autres une petite moto, rouge ou bleue. Je les voyais se lancer sur l'*avenue*, à trois ou quatre, parfois avec des filles *en croupe*. J'en *crevais* d'envie, des scooters, je veux dire ; je les *dévorais des yeux*. Ces idiots-là, naturellement, croyaient que c'était eux que je regardais, ils faisaient des ronds autour de moi pour me faire voir comme ils *étaient habiles à* manoeuvrer leurs scooters.

s'écrouler, tomber
piquer (pop.), voler
filer, aller vite ; partir
une avenue, une large rue
en croupe, voir illustration page 52
crever (pop.), mourir
dévorer des yeux, regarder avec beaucoup d'admiration
être habile à, savoir bien

Elle est en croupe

Moi, je regardais les roues et leurs pieds pour voir comment ils les manoeuvraient.

- Tu plais vivement à Didi, me dit Liliane qui avait un an de plus que moi et était mieux informée que moi
5 à ce sujet.

- Moi, je plais à un garçon?

- Ne fais donc pas l'étonnée ; après tout, t'as une belle petite gueule dans ton genre, comme si tu ne le savais pas.

Elle, c'était ce qu'on peut appeler une jolie fille avec ses cheveux roux. 5

- Si seulement tu savais arranger ta coiffure.

Elle m'a saisi les cheveux *à poignée*.

- Tu vois.

Je ne pouvais pas voir, on était dans la cour et il n'y avait pas de glace. 10

- Tu n'as pas besoin de glace, *patate*, tu n'as qu'à regarder les types qui passent.

Il y en avait un en effet qui se retournait, il paraissait se marrer. Mais c'était sûrement un père de famille et d'ailleurs il était à pied. 15

- Je m'en fous. La seule chose qui m'intéresse, c'est les scooters.

Cependant j'ai arrangé ma coiffure, comme avait dit Liliane, de toute façon c'était un progrès. Ça ne me faisait pas du tout souffrir de constater que les types tournaient la tête quand je passais. Pourquoi *se priver des* petites joies de l'*existence* sous prétexte qu'on a une grande idée derrière la tête? 20

C'est comme ça que je *me suis rapprochée des* scooters finalement. Et quand j'ai été tout près, on n'a pas fait de difficulté à me laisser monter en croupe. Je posais des questions, sur comment ça marche. J'avais la réputation 25

à poignée, à pleine main
patate (pop.), ici : stupide ; bête
se priver de, vivre sans
l'existence (f.), la vie
se rapprocher de, venir plus près de // *rapprocher*, mettre plus près

de m'intéresser à la mécanique, ce qui, pour une fille, était extraordinaire. Tout ce que voulais, c'est apprendre à conduire. Didi était le mieux *disposé à* m'être utile, car en effet je lui avais plu, ainsi que Liliane l'avait remarqué. Tout ce que j'espérais c'est savoir conduire avant que les maisons soient finies là-bas.

Le soir on allait au cinéma. Du moment que la vaisselle était finie, les vieux me laissaient aller au cinéma, ils me donnaient même le *fric*, pour ça ils étaient gentils, le cinéma est une chose qu'ils comprenaient. Après tout je n'avais plus de devoirs, il fallait bien que je m'occupe, et le cinéma, je dois dire, me remplaçait assez bien les devoirs. Tous les films me plaisaient. Au cinéma j'étais toujours assise à côté de Didi, et il me *pelotait*. Tous les types avaient une fille qu'ils pelotaient. J'étais la plus jeune et la dernière venue ; Didi était un môme, il avait quinze ans, je ne le sentais presque pas.

Guido avait de la barbe, c'était autre chose.

Didi ne me gênait pas pour regarder le film ; au contraire, ça se mélangeait bien, ça allait ensemble ; souvent j'oubliais qui c'était ; il passait sa main sous mon pull-over, que je portais directement sur le corps.

- Jo n'a rien *en dessous*, a dit Didi, c'est bien plus *chouette*.

- On peut voir? dit Joël, qui voulait plaisanter.

Didi a voulu se montrer large d'idées, il a dit :

disposé à, prêt à ; préparé à
le fric (pop.), l'argent
peloter (pop.), toucher indiscrètement et sensuellement le corps de quelqu'un
en dessous, ici : sous le pull-over
chouette (fam.), agréable ; beau

- Je t'en prie.

Liliane, assise de l'autre côté de Joël, a penché la tête, elle n'avait pas très bien suivi la conversation, que d'ailleurs Joël n'avait pas tellement essayé de lui faire suivre. 5

C'était l'*entracte*. J'ai senti la main de Joël, à ma gauche, qui passait aussi sous mon pull-over. Les mains des garçons se sont touchées, ils ont ri.

Depuis ce soir-là, Joël m'a regardée. Il me regardait au pull-over. Joël avait dix-neuf ans ; *somme toute* 10 c'était un progrès ; peu à peu, doucement, je dois le dire, j'avançais vers Guido.

- Dimanche on fait un petit tour, m'a dit Joël. Si tu veux en être, tu n'as qu'à te trouver à deux heures à la *grille*. 15

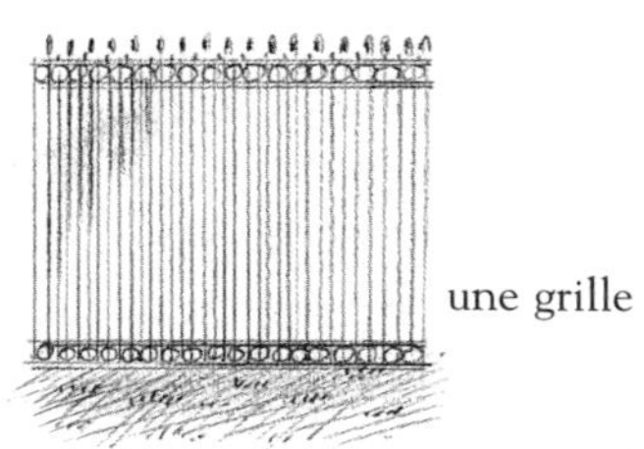
une grille

C'était toute la *bande* des grands, cinq, six garçons, je les avais souvent vus prendre le départ après le déjeuner les dimanches, avec des filles ; c'était la première fois qu'ils m'invitaient ; je grandissais.

Ce jour-là, j'ai appris aussi à danser. Ils s'y sont mis 20 tous, chacun son tour ; c'était Joël qui me serrait le plus.

l'entracte (m.), ici : le temps qui sépare la première partie d'une représentation de la deuxième
somme toute, tout compte fait ; après tout
la bande, le groupe

On buvait du vin.

A un moment donné où on était loin des autres, Joël m'a prise par la main et m'a emmenée jusqu'à sa machine. Je suis montée derrière lui. Je savais ce qu'il voulait. Du moins le début.

Sous les arbres, dans un coin tranquille, il s'est couché sur moi. J'ai hésité quelques secondes, je n'avais pas tellement d'opinion et pendant que j'en cherchais une, il était pratiquement trop tard, et puis *zut* ...

J'avais à peine eu le temps de penser à ce que je faisais que c'était terminé, il était debout.

- Allez, on repart.

J'ai *fait bonne figure*. Je ne voulais pas avoir l'air d'une *gourde*. Quand je descendais, Joël m'a dit :

- T'es une bonne fille.

Apparemment les autres ne s'étaient même pas aperçus de l'histoire. Le soir, on a mangé des hot-dogs et des frites et on a bu encore du vin. Joël était de bonne humeur. Moi aussi. J'étais en somme heureuse, enfin ça bougeait un peu dans ma vie et c'était bon, on s'amusait. Ça me changeait du reste. Tout le monde avait l'air bien content. Je n'avais pas appris à conduire, mais je n'étais pas inquiète pour ça : ça devait encore venir, c'est sûr.

J'étais la première à la maison, Patrick est arrivé un peu après moi. J'étais au lit quand le reste de la famille est rentré. Je ne dormais pas, j'avais un peu la fièvre, et ça me brûlait. Je ne pouvais pas m'endormir.

Nicolas s'est levé et il est venu près de mon lit.

zut, tant pis
faire bonne figure, avoir l'air content
une gourde, une fille stupide
apparemment, selon ce qui apparaît

- Tu ne vas pas bien?
- Mais si ...
- Je t'entends bouger, tu respires fort.
- Mais non, ça va bien. J'ai bu un peu de vin.
- Où tu as été?
- On a été danser au bord de la Marne.
- Tu as été avec les garçons?
- Oui.

Il avait l'air malheureux.

- Je suis trop petit, a-t-il dit. Tu ne dois pas aller avec les garçons.

Il est retourné à son lit sans m'embrasser.

En tout cas, tout le monde me prêtait sa moto maintenant. Même seule, même pour la journée entière. Finalement j'y étais arrivée, et même mieux que je n'espérais.

9

Mais Guido, maintenant, est-ce que j'allais le reconnaître? Il s'était passé tant de choses depuis. Guido, Guido, j'appelais son nom pour voir si ça répondait. Je me souvenais de tout, bien sûr, ses dents, sa main quand il me tenait. Le bois : le scooter posé contre l'arbre, ça m'avait marquée par exemple, un scooter posé contre un arbre et j'avais envie de me coucher, automatique. Ah, ça m'était resté. Pas les mots, bien sûr, mais le *son* qui finalement disait mieux ce que ça voulait dire qu'une belle phrase claire. Cette musique, ce qu'il disait, lui, Guido, et je n'y comprenais rien, c'était la vie tout entière, et ça ne se *résume* pas. Le reste, la sensation ..., j'entendais encore chanter les oiseaux. Des sensations, j'en avais eu d'autres, le corps n'a pas beaucoup de mémoire.

J'étais sur la machine. Etre sur la machine, ça c'était quelque chose, là il n'y a pas de doute. J'étais seule, j'étais libre, c'était un vrai plaisir ; rien que pour être sur la machine, ça valait la peine, même si je ne trouvais pas Guido.

On arrive à Sarcelles par un pont, aussitôt, un peu d'en haut, on voit tout. Oh là! Et je croyais que j'habitais dans des blocs! Ça oui, c'étaient des blocs! Ça, c'était de la Cité, de la vraie Cité de l'*Avenir*! Sur des kilomètres et des kilomètres et des kilomètres, des maisons, des maisons, des maisons. Pareilles. *Alignées.*

le son, ici : le bruit de la voix
résumer, rendre en moins de mots ce qui a été dit ou écrit
l'avenir (m.), le temps futur ; le temps à venir
aligner, mettre sur une ligne

Blanches. Et du ciel ; une *immensité*. Du soleil.

Le soleil passe à travers les maisons et ressort de l'autre côté. Des espaces verts énormes, propres, magnifiques.

Les boutiques étaient toutes mises ensemble, au milieu de chaque bloc de maisons. Il y avait même de la justice! Un peu à part étaient posés de beaux chalets avec de grandes fenêtres, on voyait tout l'intérieur quand on passait. L'un était une bibliothèque, avec des tables et des chaises modernes de toute beauté. On s'asseyait là et tout le monde pouvait vous voir en train de lire. Un autre en bois était marqué : «Maison des Jeunes et de la Culture» ; les Jeunes étaient dedans, garçons et filles, on pouvait les voir rire et s'amuser. Ça, c'est de l'architecture. Et ce que c'était beau! Je n'avais jamais vu autant de fenêtres. Je croyais rêver, la tête me tournait, avec toutes ces rues à prendre : la première à droite, la première à gauche, la première à droite, la première à gauche, etc. etc. Mais où étaient les baraques, où étaient les ouvriers, où était Guido?

Je me suis dit qu'il fallait aller tout droit et je suis arrivée devant une grille. La limite. Il y avait une limite.

Je suis encore allée dans l'autre sens, le chemin est devenu sale, j'étais dans les *chantiers*. On ajoutait des maisons, une ou deux douzaines.

J'ai dit à haute voix :

- C'est toi, Guido, qui fais ces maisons, toi qui es né sur les *collines* ...

une immensité, ici : un espace énorme
un chantier, un endroit où l'on construit des maisons, des bâtiments, etc.
une colline, une très petite montagne

Un des ouvriers m'a entendue et il m'a demandé :
- Guido comment?
- Je ne sais pas.
- Gouido! Gouido!
5 - Eh, petite, *ragazza*, qu'est-ce qu'il t'a fait, ce Guido-là, que les autres ne peuvent pas faire?
- Eh, *piccoline*, tu ne veux pas que je sois ton Guido?
- Si tu attends la fin de journée, je m'appellerai Guido toute la nuit.
10 J'étais là en plein soleil devant tous ces hommes avec mon noir aux yeux et ma jupe en *vichy*, et j'avais encore grandi depuis. Les types riaient, Italiens, Arabes, Espagnols, et le chef de chantier, Français lui, me regar-

ragazza, mot italien pour fille
piccoline, mot italien pour petite
le vichy, une matière textile spéciale

dait d'un sale oeil. Il faisait trop clair, trop clair. J'étais *nue comme un ver*. Je cherchais de l'ombre, un coin noir où me cacher, j'avais la panique, une panique folle, je ne retrouvais plus le scooter, je ne savais plus où je l'avais laissé. 5

J'ai retrouvé le scooter, près d'une pelouse.

C'était beau. Vert, blanc. On sentait l'organisation. Ils avaient tout fait pour qu'on soit bien. Ils s'étaient demandé : qu'est-ce qu'il faut mettre pour qu'ils soient bien? et ils l'avaient mis. Ils avaient même mis de la 10 *diversité* : quatre grandes tours pour varier le paysage ; ils avaient fait de petites collines pour que ce ne soit pas monotone. Il n'y avait pas deux chalets pareils. Ils avaient pensé à tout, pour ainsi dire on voyait leurs pensées. Ils devaient être *rudement* fiers, ceux qui 15 avaient fait ça.

Le matin, tous les hommes sortaient des maisons et s'en allaient à Paris travailler. Un peu plus tard c'étaient les enfants qui *se transféraient* dans l'école, les maisons se vidaient ; il ne restait dans la Cité que les 20 femmes, les *vieillards* et les invalides. Le soir, tous les maris revenaient, rentraient dans les maisons, trouvaient les tables mises, propres, avec de belles assiettes, et voilà une bonne soirée qui partait, mon Dieu, c'était la perfection. Dieu est un pur esprit infiniment parfait, 25 je comprends enfin.

Je me suis arrêtée encore. Je me suis retournée vers la Ville ; il ne faut pas se retourner quand on quitte une

nu comme un ver, qui n'est couvert d'aucun vêtement ; tout à fait nu
la diversité, la variété
rudement (fam.), très
transférer, transporter
un vieillard, une personne d'un grand âge

ville, mais je ne pouvais plus me décider à partir, je ne me fatiguais pas de regarder. Les fenêtres commençaient à s'éclairer. Que ça pouvait être beau! Je ne me fatiguais pas. Sarcelles, c'était Dieu, ici on pouvait commencer à croire qu'il avait créé le monde, car s'il faut un ouvrier pour construire une maison, Amen!

Quand je rentrais, notre Cité m'a paru pauvre, en retard sur son temps ; une vraie antiquité. On était déjà hier, nous autres, ça va vite, vite. Même les blocs en face, les «grands», n'avaient l'air de rien. Douze misérables baraques sur un petit terrain.

Je me sentais à l'étroit, je manquais d'air. Si on veut rester content il ne faut pas voir le monde.

J'ai rencontré Ethel. J'ai essayé de lui expliquer ça.

- C'est comme Dieu.

- Voyons, pourquoi aller chercher Dieu, les hommes, ça suffit pour construire. Je ne comprends pas ce qui te rend triste : si c'est beau comme tu dis. Oui, c'est beau. Alors, qu'est-ce que tu veux? Tu veux que les gens soient sales? *Qu'ils aient* la tuberculose?

- Je ne sais pas ce que je veux.

qu'ils aient (subjonctif), qu'ils ont

10

J'avais un sentiment caché pour Frédéric Lefranc, le frère d'Ethel. Il n'était pas comme les autres. Il était plus sérieux, plus *réfléchi*. Mais justement à cause de cela, il ne se mêlait pas à nous. Il avait autre chose à faire dans la vie. C'était ce qui m'attirait, cet «autre chose» : quelle chance il avait, ce Frédéric! Et comment faisait-il? Mais en même temps que ça m'attirait, ça le mettait à des kilomètres de moi, qui n'avais rien. Auprès de lui, j'étais muette, je ne savais rien. C'est avec Ethel que je parlais, c'était plus facile, on avait fait nos classes ensemble, même on s'était quelquefois trouvées en rivalité. Dans ce temps-là ça nous rendait ennemies, maintenant ça nous rapprochait. Je crois qu'Ethel regrettait pour moi que je n'aie pas continué. C'était comme quelqu'un qu'on est obligé de laisser sur la route parce qu'il est trop faible, et on ne peut rien pour lui: on se retourne, on *a honte de* sa propre force. Ethel était la seule personne au monde avec qui je pouvais parler. Je lui ai dit qu'à l'Orientation on avait cherché ce que je pouvais faire, mais on n'avait rien trouvé. Elle m'a dit que c'est parce qu'on ne m'avait proposé que des métiers en rapport avec la condition sociale de mes parents, qui *exigeait* que je gagne tout de suite ma vie. On n'avait pas tenu compte de mes goûts ni de mes capacités. Mais moi, je n'étais pas aussi intelligente qu'elle, je n'étais pas allée assez à l'école, ce n'était pas ma faute. Il venait un moment où je lâchais. Et de toute façon chaque fois que je me mettais à penser à des

réfléchi, qui agit après avoir bien réfléchi
avoir honte de, être gêné de
exiger, demander ; rendre nécessaire

choses sérieuses, ça me rendait triste. Comme elle me demandait pour la vingtième fois : - Mais au fond, qu'est-ce que tu veux? »je me suis mise à pleurer. Elle m'a emmenée dîner chez eux, pour me *remonter*. Je ne me le suis pas fait dire deux fois, rien que l'idée de voir Frédéric et j'étais redevenue *gaie comme un pinson*. Le petit frère d'Ethel, Jeannot, a fait une crème. Ce qui m'a frappée chez les Lefranc, c'est que les deux garçons, les plus jeunes, Jean et Marc, s'occupaient de la cuisine, ils ont fait la vaisselle, et ils avaient l'air de trouver ça naturel. J'ai dit que chez nous ça ne se passait pas comme ça, on n'avait même pas idée de le leur demander.

- Mais pourquoi ça? Ils ont bien deux mains?» a dit Mme Leblanc.

Je me souvenais d'une fois où la mère avait demandé à Patrick de l'aider dans le travail de ménage, rien que pour une seule fois, parce qu'aucune des filles n'était *disponible*. Il avait refusé dans des termes qu'il est impossible de répéter et qu'il avait conclus par la phrase :

- Papa dit que ce n'est pas mon travail.

En tout cas la mère avait été faible, et le père avait *confirmé* le principe.

- Dix mille appartements, tous avec l'eau chaude et une salle de bain, c'est quelque chose! disait Ethel.

Ils discutaient de Sarcelles, j'avais raconté mon voyage.

- Oui, a dit M. Lefranc.

- Oui, a dit après lui Frédéric.

- Vous n'avez pas l'air enthousiastes, a dit Ethel.

remonter, redonner de la force ; redonner du courage
gai comme un pinson, très gai
disponible, ici : libre
confirmer quelque chose, assurer que quelque chose est correct

- Si, a dit le père.
- Si si, a dit le fils. C'est très bien, quoi.
- Bien sûr que c'est très bien! a dit Ethel. Il y a encore des gens qui sont entassés à six dans une chambre d'hôtel avec un *réchaud* à alcool pour faire la cuisine, j'en connais. 5
- Même toi, tu as vécu comme ça, lui dit son père. Tu ne peux pas te le rappeler, tu avais six mois quand on a *bougé*.
- Nous, on a d'abord habité dans le XIIIe, ai-je dit. Il y avait des *rats*. Je me souviens que j'avais peur. 10

un réchaud

un rat

- Moi, je suis née dans un *sous-sol*, a dit Mme Lefranc, je crois bien que je n'ai pas vu le soleil avant l'*âge de raison*. Ma mère a eu quatorze enfants, il lui en reste quatre. Dans ce temps-là *nourrir* sa famille c'était un drôle de problème pour un homme, il fallait se battre. 15

bouger, ici : déménager ; aller habiter une autre maison
un sous-sol, la partie d'une maison située sous le rez-de-chaussée
l'âge de raison, l'âge où les enfants commencent à réfléchir (environ 7 ans)
nourrir quelqu'un, donner les moyens de vivre à quelqu'un

- Eh bien? a dit Ethel. Les gens sont pourtant plus heureux maintenant, non?
- Oui, a dit Frédéric, ils sont plus heureux, mais ...
- Mais? a dit Ethel à son frère.
5 - Si le bonheur *consiste à* accumuler des appareils de ménage et à se foutre du reste, ils sont heureux, oui! a dit Frédéric en colère. Et pendant ce temps-là les fabricants en profitent à grands coups de publicité et de crédit, et tout va pour le mieux dans le meilleur des mon-
10 des ... Le confort, ce n'est pas le bonheur.
- Pour découvrir que le confort ne fait pas le bonheur, il faut y avoir goûté, non? a dit M. Lefranc. C'est une question de temps ... Quand tout le monde l'aura, on finira bien par se poser la question. Ce qu'il faut,
15 c'est regarder un peu loin. Moi, je ne verrai sans doute pas ça, mais vous, vous le verrez.
- Au fond, le bonheur, c'est vivre dans l'avenir ...» a dit Frédéric.
Il m'a fait un beau sourire. Et sans doute qu'il y
20 vivait, lui, dans l'avenir. Il ne paraissait pas remarquer les yeux que je lui faisais. Vivre dans l'avenir, ça devait être aussi la vie d'Ethel. Elle n'allait pas avec les garçons.
- J'irai avec un garçon que j'aimerai *pour de bon*, di-
25 sait-elle. Sinon, pourquoi?
Pourquoi? Voilà une question que je ne m'étais pas posée avant, par exemple, pourquoi? J'avais d'abord commencé. Et comme j'ai dit à Ethel, je ne le regrettais pas, ça ne m'avait pas fait de mal, et c'était toujours ça
30 de pris.

consister à, avoir pour nature de ; se réduire à
pour de bon, réellement

En tout cas, Frédéric, malheureusement, ne m'a pas demandé d'aller avec lui. Il est parti au service militaire. Et il a été tué.

5

11

L'été finissait. Et Joël est parti à son tour. Je commençais à entendre parler d'*armée* autour de moi, c'était signe que je *vieillissais*. Il était possible que Patrick *parte* avant l'âge, on l'avait *averti*. Il s'était fait arrêter pour la première fois : vol de voiture. On le lui avait déjà dit depuis longtemps : il devait finir mal. Ils l'ont gardé le temps de lui donner une leçon et ils nous l'ont rendu. Le juge était bien gentil, je crois qu'il l'était un peu trop.

10

15

Quant à Nicolas, il était pressé de grandir. Tous les matins il se mesurait et faisait une marque dans le mur. Il mangeait des quantités de soupe, parce qu'il avait entendu dire que ça fait grandir. Il écrivait :

20

- Je tuerai mon père. Je tuerai ma mère. Je tuerai mon frère. Je ne tuerai pas ma soeur Jo, je l'aimerai fort et je l'attacherai avec des cordes, elle ne sortira plus jamais. Je lui apporterai à manger de grands biftecks.

Moi aussi quand j'étais môme, j'écrivais des trucs sur des bouts de papier. Plus maintenant. Je restais des heures devant la fenêtre à regarder tomber l'eau et à regarder les gens entrer et sortir à la grille. Maintenant on

25

l'armée (f.), les forces militaires d'un pays ou d'un groupe de pays
vieillir, devenir vieux ; prendre de l'âge
parte (subjonctif), part
avertir quelqu'un, renseigner quelqu'un

voyait la grille, on avait changé de bloc. On avait *obtenu* un appartement plus grand parce que la famille devenait de plus en plus nombreuse : dix *vivants* sans compter Catherine, et la mère devait mettre un autre enfant au monde, peut-être même encore des jumeaux. J'étais vide. Les blocs en face ne me faisaient plus peur, les garçons ne me faisaient plus brûler, les choses se plaçaient à leur place.

Quand on meurt, on revoit toute sa vie d'un coup. Un jour, je devais mourir, seule au milieu des grandes maisons. Comment vivre dans un monde de maisons?

Je me disais :

- C'est toi, Guido, qui fais ces maisons, toi qui es né sur les collines?

Les phrases allaient et venaient, il y en avait qui sortaient de derrière moi, je me retournais : personne. Si on a une âme, on devient fou, et c'est ce qui m'arrivait, je devenais folle, ou plutôt : je devenais morte. C'est ça devenir une grande personne.

Je regardais, regardais la grille. Je voyais arriver Guido qui venait me chercher pour m'emmener *nulle part*. Ou Frédéric. Mais Frédéric était mort, on ne pouvait pas revenir *là-dessus*. «Il faut vivre dans l'avenir». Mais il n'y en a pas. Les Lefranc ne pleuraient pas quand ils pensaient à Frédéric ; ils étaient en colère. Ils étaient fous de colère. Frédéric était mort pour rien. J'aimais les écouter.

Puis j'avais les jumelles sur les bras, le médecin avait

obtenir quelque chose, se faire donner quelque chose
les vivants, les personnes en vie
nulle part, en aucun lieu
là-dessus, sur cela

eu raison. La mère était couchée, malade. Les basses *besognes* étaient toujours pour moi. Quand j'avais une seconde, je regardais la grille et je pensais furieusement à *foutre le camp*, sans même me poser la question où, juste filer de cette baraque et ne plus être la *bonne* de tout le monde. 5

Le père et moi, on était allés, comme la mère était au lit, prendre les jumelles à l'hôpital où on les avait gardées quelques jours pour des soins. On est passés par la *loge des gardiens*, comme c'était l'habitude quand on rentrait un nouvel enfant. 10

Ces jumelles, je n'en avais jamais vu de si petites, et je dois dire assez *mignonnes*. J'en avais une dans les bras, le père avait l'autre. Les gardiens, et les bonnes gens qui passaient prendre leur courrier, les trouvaient vraiment mignonnes et tellement pareilles. 15

- Et laquelle est Caroline et laquelle Isabelle? a demandé la femme du gardien.

Papa et moi, on s'est regardés. On ne savait plus. On avait oublié, et comment savoir maintenant? Tout le monde s'est bien marré. 20

Le gardien nous a offert un Martini pour fêter ça. Ils aimaient bien voir la Cité *s'agrandir*, tout ça c'était un peu à eux, leur petit *troupeau*.

Devant les boîtes à lettres il y avait un jeune homme blond que je n'avais jamais vu ; il était tourné vers 25

une besogne, un travail ; une tâche
foutre le camp (pop.), s'en aller ; partir ; se sauver
une bonne, une employée de maison qui assure les travaux du ménage dans une famille
la loge de gardiens, voir illustration page 70
mignon, joli ; charmant
s'agrandir, devenir plus grand
un troupeau, une troupe nombreuse ; un groupe nombreux

la loge de gardiens

moi, et me regardait *bouche bée*, d'un air complètement *ahuri*. C'était Philippe. Mais je ne le savais pas.

bouche bée, ici : la bouche ouverte d'étonnement
ahuri, très étonné ; tellement étonné qu'on paraît stupide

12

Philippe. Mon amour. C'est peu à peu qu'on s'est mis à s'aimer. Ou plutôt, en réalité, on s'était aimés du premier instant, comme on s'en est rendu compte après. On s'en souvenait parfaitement tous les deux, ce jour-là, devant les boîtes à lettres, lui l'air ahuri, moi avec les jumelles. Les gardiens. Le père. Le Martini. Et si le *coup*

| *le coup de foudre éclate*, ici : on s'aime à première vue

de foudre n'avait pas *éclaté* immédiatement, c'était à cause du plus bête des *malentendus* : quand il m'a vue rentrer de l'hôpital avec des nouveau-nés, accompagnée d'un homme, Philippe avait été sûr que les bébés étaient de moi. Je me souvenais de son regard qui *tout de même* m'avait paru bizarre. C'est qu'il pensait : une fille si jeune, avec un homme si vieux, et déjà des jumeaux.

- Et tu étais belle! a-t-il dit. Tu ne peux pas savoir comme tu étais belle, avec ce bébé dans les bras, si petit, qu'est-ce que tu veux, ça paraissait logique qu'à ton âge tu aies des bébés *en miniature*.

Il m'avait même trouvée un air de jeune mère heureuse, et il avait été jusqu'à se dire :

- Quel dommage que ce ne soit pas moi, à la place de ce vieux!

Il *avait été jaloux* du père! C'est vraiment difficile à croire. Et moi qui ne savais rien de tout ça. Résultat : tout un hiver perdu, où chaque fois qu'on se rencontrait, il me faisait un salut discret et respectueux :

- Bonjour Madame.

Et moi, pendant ce temps-là je le trouvais *timide*, ce garçon, je me disais qu'il devait être idiot, et je continuais ma triste vie sans me douter que le bonheur était juste sous mon nez. Jusqu'au jour où il a osé me demander, toujours respectueusement, comment allaient mes bébés si charmants, Caroline et Isabelle. Il avait même

un malentendu, une chose mal comprise
tout de même, cependant
en miniature, de toute petite dimension ; tout petit
être jaloux de quelqu'un, ne pas souffrir qu'une autre personne profite de ce qu'on n'a pas soi-même
timide, qui manque de confiance en soi

retenu leurs noms. Caroline et Isabelle allaient bien, elles nous avaient rapporté le Prix Cognac, et Philippe allait encore mieux quand il a compris que c'était mes soeurs. Il n'arrivait pas à y croire, il me demandait si j'en étais bien sûre, il me l'a fait répéter quatre fois. Et, 5
alors là, il n'a pas perdu une seconde pour m'inviter à aller au cinéma, et pour le soir même. Et moi, je n'ai pas plus hésité à laisser tomber toute la bande. D'ailleurs je n'étais plus si enthousiaste, on se connaissait tous maintenant, ça devenait une routine, et puis on avait 10
mal passé l'hiver, on n'a pas où aller, on a froid, on s'ennuyait, ça prenait même un côté moche, on buvait trop. *Bref*, pour en revenir à Philippe, on est allés au cinéma et il m'a pris la main.

Quand on est revenus, devant ma porte, il m'a dit 15
qu'il m'aimait.

Là-dessus, il est parti. Je n'étais pas sûre d'avoir bien entendu parce qu'il avait parlé très bas, mais il était déjà parti. Il habitait le bâtiment F, moi le C. Pendant une heure il m'avait embrassée devant ma porte, il me 20
disait au revoir, il m'embrassait encore, il filait et il me laissait plantée sur le *seuil* comme un pain. Il n'était vraiment pas comme les autres, celui-là non plus. D'une façon il rappelait Frédéric, au moins par ses *moeurs*.

Avec les garçons, on ne s'embrassait presque pas ; 25
juste au cinéma. On n'aimait pas tellement. Et puis Philippe avait de la barbe, il *piquait* sérieusement, j'avais la figure tout en feu.

bref, en peu de mots
le seuil, l'entrée d'une maison
les moeurs (f.), les habitudes morales
piquer, blesser légèrement avec quelque chose de pointu

On avait rendez-vous le dimanche suivant ; je laissais tomber les *copains* définitivement.

Ce dimanche-là, il m'attendait devant la grille avec une *2 CV*. Il venait de l'acheter, d'occasion et à crédit, et j'ai compris qu'il l'avait fait exprès pour moi, pour me sortir. Ça avait l'air de dire qu'il avait l'intention de me sortir un certain nombre de fois.

Pourquoi, avec Philippe, rien que de marcher l'un près de l'autre, les doigts *emmêlés*, c'était quelque chose de merveilleux? Pourquoi lui? Et lui se demandait «Pourquoi elle?» On était très étonnés que ce soit justement nous. Ce qui était extraordinaire, c'est qu'on ait réussi à se rencontrer. Pensez qu'on habitait justement dans le même endroit, quand des endroits il y en a tant. Nous ne pouvions plus comprendre comment nous avions pu vivre l'un sans l'autre, chacun de son côté comme des idiots. Car c'était bien comme des idiots qu'on avait vécu tous les deux jusqu'à maintenant, pas la peine de se le *dissimuler*. D'ailleurs on l'avait toujours senti dans le fond de nous-mêmes, sans savoir que ce qui nous manquait à chacun, c'était l'Autre. C'est pour ça que j'étais si souvent triste, que je pleurais sans raison, que je tournais en rond sans savoir quoi faire de moi, je regardais les maisons et je me demandais pourquoi ci pourquoi ça. C'est pour ça aussi que j'allais avec des tas de garçons : j'attendais le seul qui existait sur la terre pour moi et qui maintenant, chance extraordinaire, était là, près de moi, les doigts emmêlés aux miens.

un copain, un camarade ; un ami
une 2 CV, un type de petite voiture française
emmêler des choses, les mêler avec d'autres choses
dissimuler, cacher

La preuve que c'était bien vrai, c'est que pour lui, j'étais la seule qui existait sur la terre, qu'il avait attendue et qui maintenant était là, les doigts emmêlés aux siens. Dans le fond la vie est drôlement bien faite quand on y pense, tout arrive qui doit arriver, il y a une logique. *Désormais*, on savait pourquoi le soleil brillait, c'était pour nous, et c'était pour nous aussi que le printemps commençait, justement aujourd'hui, quand on faisait notre première promenade ensemble, la première sortie de notre amour.

On marchait, dans la forêt encore presque *nue*, on marchait la main dans la main avec sous les pieds le tapis des feuilles anciennes. On n'était pas pressés, on avait tout le temps puisqu'on avait l'*éternité* devant nous. Tout nous *appartenait*. C'est fou. Tous les trois pas on s'arrêtait pour se regarder. Nous voulions nous toucher, et quand nous nous touchions, nous voulions nous embrasser, on n'avait pas la force de refuser. On ne tenait plus debout, nos jambes ne voulaient plus nous porter, il était temps, on n'en pouvait plus. J'étais heureuse depuis qu'il m'avait plantée sur mon seuil, en feu. Quatre jours. Une femme ne peut pas attendre. J'étais follement heureuse. C'était lui, c'était bien lui, tel que j'en avais eu le *pressentiment*, il était fait pour moi, il avait sa place marquée depuis toujours.

- Tu sais, m'a-t-il dit avec une infinie *tendresse*, que

désormais, à partir de maintenant ; depuis maintenant
nu, ici : sans végétation ; sans feuilles
l'éternité (f.), une durée qui n'a pas de fin
appartenir à quelqu'un, être à quelqu'un
le pressentiment, la connaissance intuitive et imprécise de l'avenir
la tendresse, le sentiment d'amour

je ne te lâche plus? C'est pour de bon, tu sais, ma *ché-rie*. Comme on va être heureux. Tu n'as pas eu une bonne vie, *hein*? Mon pauvre petit amour. Mais c'est fini maintenant, c'est fini, je suis là, ne sois pas triste, je suis là, tu verras, je suis là maintenant. Rien ne t'arrivera plus.

13

Il avait vingt-deux ans. Il venait d'entrer dans une compagnie où il s'occupait d'appareils de télévision qu'il mettait en état de fonctionner, qu'il réparait. Il pouvait être sûr de gagner bien sa vie. Ils étaient cinq enfants, l'*aînée* des filles était mariée, le *cadette* travaillait, les deux derniers allaient bientôt se débrouiller, la mère était morte. Il habitait encore avec eux, mais il avait fait une demande de *logement*. Il avait fini son service militaire, il était revenu l'automne dernier, c'est pourquoi je ne l'avais pas vu avant. Il ne voulait pas en parler. Il ne voulait plus jamais y penser. Ni à ça, ni au reste ; toutes les salades, il en avait marre, il ne voulait pas s'en mêler. De rien de tout ça. Il pensait seulement à être heureux et c'est tout, la seule chose qu'on a à faire dans la vie, c'est d'être heureux, il n'y a rien d'autre, rien. Et pour être heureux, il faut s'aimer, être deux qui vivent l'un pour l'autre sans s'occuper du reste, se faire

chéri, très aimé
hein?, n'est-ce pas?
l'aîné, qui est né le premier ; le plus âgé
le cadet, celui qui est né après l'aîné ; le plus jeune
un logement, un appartement

un *nid* où cacher leur bonheur.

Quand je lui ai dit que j'*étais enceinte*, Philippe m'a soulevée de terre et il m'a fait tourner en rond comme un fou.

- Depuis le jour où je t'ai vue avec un bébé dans les bras, j'en ai envie, criait-il. Tu ne peux pas savoir! J'ai envie de te faire un enfant depuis ce jour-là!

Ça le rendait très heureux de me faire un enfant.

Il n'attendait que ça, a-t-il dit, pour qu'on se marie, pour de bon. Et vite maintenant. Ce n'était pas pour le principe, il *s'en fichait*, il avait les idées larges. Mais il voulait que je sois encore toute fine à la sortie de la Mairie, avec lui à mon bras, toute belle. Il allait m'acheter une belle robe, pas blanche, bien sûr, ça n'avait pas d'*importance*, mais une belle robe, ce que je n'avais jamais eu. Il voulait une belle image de ce jour-là, pour la garder dans son coeur.

On voudrait acheter un berceau. Il les regardait déjà dans les *vitrines*. Il ne voulait pas d'un *vilain* lit, il voulait un vrai berceau, avec un truc d'une belle couleur bleue autour. Non, rose, parce qu'il préférait une petite fille! En effet, c'est plus pratique.

Toute l'affaire c'était de trouver un logement, et vite. Il fallait se dépêcher, il fallait peut-être chercher aussi par nos propres moyens. La compagnie de Philippe

un nid, ici : un lieu intime et confortable où l'on habite
être enceinte, attendre un bébé
se ficher de quelque chose (pop.), se foutre de quelque chose ; n'y prêter aucune attention
avoir de l'importance, être important
une vitrine, la partie d'un magasin où l'on expose les objets à vendre qui sont visibles de la rue
vilain, le contraire de beau, de joli ; laid

devait lui prêter l'argent nécessaire pour acheter à crédit. Il y avait des coins où on commençait à trouver à présent. Je lui ai indiqué Sarcelles.

Questions

1. De quelle façon Patrick a-t-il «appris» à marcher à sa petite soeur Josyane?
   Pourquoi Josyane doit-elle s'occuper presque toute seule du ménage?
   Pourquoi Josyane est-elle heureuse de faire ses devoirs dans la cuisine?

2. Pourquoi est-ce que Josyane reste la bouche ouverte pendant sa première leçon de catéchisme?
   Qu'est-ce que Josyane pense des grands blocs des cités neuves?
   Pourquoi est-ce que Josyane et Fatima ne peuvent pas être de vraies amies?

3. Pourquoi est-ce que Josyane se souvient du plus petit détail de sa première rencontre avec Guido?
   Quel travail est-ce que Guido fait dans la cité?
   Guido dit «Madona» après avoir appris l'âge de Josyane. Pourquoi?

4. Quelle est la réaction de Guido quand Josyane lui dit qu'elle partira en vacances avec sa famille?
   Pourquoi Guido chante-t-il à tue-tête quand ils rentrent à toute vitesse sur leur scooter?
   Dites l'argument de Patrick qui refuse de faire des courses pour sa mère.

5. Pourquoi Patrick est-il gêné quand son père conduit la voiture?
   Quel est le problème de Catherine pendant le voyage?

Que fait le père quand Patrick continue de se moquer de lui?

6. Pourquoi Josyane pleure-t-elle à son retour à Paris?
   Pourquoi Nicolas doit-il quitter la maison et où va-t-il?
   Quelles sont les deux raisons pour lesquelles Catherine ne peut pas rester à l'école?

7. Comment Josyane réagit-elle pendant le test d'orientation?
   Qu'est-ce que Josyane regrette le plus après avoir quitté l'école?

8. Pourquoi est-ce que Josyane s'intéresse aux scooters?
   Qui est Didi et quel est son rôle auprès de Josyane?
   Pourquoi Nicolas est-il malheureux quand il apprend de quelle façon Josyane a passé la journée?

9. Comment Josyane est-elle devant tous ces ouvriers étrangers qui la regardent?
   Qu'est-ce que Josyane pense de la cité où elle habite elle-même, par comparaison à Sarcelles?

10. Pourquoi Josyane est-elle très gaie à l'idée de voir Frédéric?
    Quel est le bonheur, aux yeux de Frédéric?
    Pourquoi Ethel ne suit-elle pas l'exemple de Josyane qui sort avec les garçons?

11. Pourquoi Josyane voudrait-elle quitter sa famille pour de bon?
    A quelle occasion est-ce que Josyane voit Philippe pour la première fois?

12. Quel malentendu empêche d'abord Philippe d'entrer en contact avec Josyane?
    Quelle information inattendue rend Philippe très heureux?
    Quelle est la nouvelle tâche que Philippe s'impose maintenant?

13. Quelle est la réaction de Philippe quand Josyane lui dit qu'elle est enceinte?
    Où est-ce que Josyane et Philippe veulent trouver un appartement et pourquoi précisément là?

Activités

1. Complétez les phrases :
   1. Le père a donné une gifle à Patrick parce que celui-ci ...
   2. Le matin Josyane emmenait les petits garçons ...
   3. Les bonnes femmes disaient que Josyane était ...
   4. Le père se disputait avec la mère qui, furieuse, a dit à son tour qu' elle n'avait aucune ... dans sa ...

2. Dites en deux ou trois phrases quels sont les sentiments de Josyane quand elle écoute Mlle Garret qui parle de Dieu.

3/4. Dites-le en d'autres termes :
   1. Je l'ai croisé dans la rue. 2. Il ment toujours. 3. Ça, c'est moche. 4. C'est un habitant de Paris. 5. Il reste invisible. 6. C'est une affaire bizarre. 7. On l'affirme. 8. Ce livre n'est pas le mien. 9. Elle a le coeur lourd. 10. Accrochez-vous! 11. Je ne vous en veux pas. 12. Ces jeunes traînent trop souvent dans les rues. 13. C'était une aventure merveilleuse. 14. On a prévu l'accident.

4. Dites en deux ou trois phrases ce que vous pensez de Guido.

5. Faites les combinaisons correctes :

1. On est partis enfin,	a. elle avait mal au coeur
2. C'était Chantal,	b. et un pneu a crevé.
3. La voiture	c. ce soit déjà fini.
4. Il s'est mis à pleuvoir	d. pour remplir les moments creux avant les repas.
5. Il n'y avait pas de télé	e. tous entassés.
6. C'est bien dommage que	f. s'était mise dans un tas de sable.

1	2	3	4	5	6

6. Faites le dialogue entre les parents de Josyane quand la mère attend un autre bébé et qu'ils en sont très satisfaits. Deux phrases suffisent pour chacune des deux personnes.
Expliquez en deux ou trois phrases pourquoi Josyane est furieuse contre son frère Patrick et lui casse même une dent.

7. Donnez les synonymes ou les définitions :
   1. interroger 2. assommant 3. être débarrassé 4. inoccupé 5. interroger 6. avoir le choix.

   Terminez la phrase :
   1. Cette question, Josyane ne se l'était jamais ...
   2. Tous les métiers ont de commun qu'il faut aller quelque part le matin et y rester ...
   3. La mère a dit qu'elle avait plus besoin de Josyane à la maison que ...
   4. Elle était si fatiguée que ses yeux se ...
   5. Pour Josyane c'était devenu une habitude de pleurer, elle ne savait même pas à quoi ...

8. Cochez la réponse correcte :
   Josyane veut aller à Sarcelles
   - ☐ pour voir si Guido se trouve parmi les ouvriers étrangers qui travaillent là.
   - ☐ pour apprendre à manoeuvrer un scooter.
   - ☐ pour s'amuser avec les garçons.
   - ☐ pour admirer les blocs de maisons qu'on était en train de construire.

9. Mettez-vous à la place de Josyane et dites en quelques phrases ce qu'elle pense de Sarcelles.

10. Développez les phrases au maximum (20-25 mots) :
    1. Frédéric n'était pas comme les autres parce qu'il ...
    2. A l'Orientation on n'avait rien pu pour Josyane parce que ...
    3. Josyane avait accepté de venir dîner chez Ethel, qui ...
    4. Josyane ne regrettait pas d'être allée avec les garçons, ça ...

11. Complétez par les formes correctes des verbes suivants :
    1. Il est certain qu'il (partir : futur) pour faire son service militaire.
    2. On avait (obtenir) un appartement plus grand.
    3. La mère avait (mettre) un autre enfant au monde.
    4. Si on a une âme, on (devenir : présent) fou, dit Josyane.
    5. Je (devoir : présent) dire que les jumelles sont mignonnes.
    6. Le gardien a (offrir) un Martini.
    7. On voyait bien que la Cité (s'agrandir : imparfait).

12. Mettez-vous à la place de Josyane et dites quelle est l'impression que lui fait Philippe avant leur premier rendez-vous.

13. Faites de petites phrases (maximum : 10 mots) avec les mots suivants :
    1. tout de même 2. timide 3. bref 4. désormais 5. copain 6. chéri 7. aîné 8. vilain 9. vitrine 10. nid.

Activité générale

Ecrivez un petit texte (50 mots au maximum) sur la déclaration :

«Le confort, ce n'est pas le bonheur.»